M000306279

Gabriele Kopp

Siegfried Büttner

Planet 1

Deutsch für Jugendliche

Kursbuch

Hueber Verlag

Symbole in Planet 1

 Texte hören, lesen
und sprechen

 Texte hören
und verstehen

Tracklisten für CDs
im Anhang

 Lesen

 Schreiben

 Miteinander sprechen
– *neue Situationen*
– *eigene Erfahrungen*

9. 8. 7.   Die letzten Ziffern
2014 13 12 11 10   bezeichnen Zahl und Jahr des Druckes.
Alle Drucke dieser Auflage können, da unverändert,
nebeneinander benutzt werden.
1. Auflage
© 2004 Hueber Verlag, 85737 Ismaning, Deutschland
Umschlaggestaltung: Alois Sigl, Hueber Verlag, Ismaning, unter Verwendung von Fotos von Susanne Probst, München
Zeichnungen: LYONN, Köln
Layout: Barbara Slowik, München
Druck und Bindung: Himmer AG, Augsburg
Printed in Germany
ISBN 978–3–19–001678–5

Inhalt

Ich und du

Inhalt

He, Paul! Hallo!

Ich und Du

Das lernst du:

- sich begrüßen und sich verabschieden
- sich und andere vorstellen
- eine Meinung äußern
- Wünsche äußern
- sagen, was man gern macht
- telefonieren

- die Zahlen 1 – 1000
- verschiedene Getränke
- was man in der Freizeit machen kann
- was man zu Hause machen kann
- die Namen der Familienmitglieder

Rockkonzert

1   Rocky O. kommt

Antenne 3 präsentiert:

Pop-Star

Rocky O.   mit Band

Lead-Gitarre: Ulrich Becker
Keyboard: Daniel Huss
Bass: Jürgen Ries

Mit dem neuen Programm und dem aktuellen Hit
»He, Moment mal!«

Nummer 1 in der Hitparade
Nummer 5 in den Charts in Italien

Zusatzkonzert: 16.00

Im Vorprogramm die Gruppe "Poptop" bekannt aus Radio und TV.
am 15. Oktober 21.00 in der Olympia-Halle

23.7. **Köln**
24.7. **Hamburg**
28.7. **Karlsruhe**
29.7. **Zürich**
30.7. **Mainz**
31.7. **Ludwigsburg**

Was verstehst du? Schreib auf: *Antenne, Oktober, ...*

2 Am Eingang

a) Schau die Bilder an und hör zu.

b) Hör zu und lies mit.

c) Und auch so:

Paula   Gabriele   Andrea   Stefanie

Paul   Gabriel   Andreas   Stefan

Gibt es in deiner Klasse auch ähnliche Jungen- und Mädchennamen?

Hallo!

3 Lauter Laute

L1/2

a) **So sprichst du das *h* richtig:**
Hör zu und sprich nach.

L1/3

b) **Lies laut. Hör zu. Richtig? Wiederhole.**

Hallo! – He! – Wie heißt du? – Ich heiße Hanna.
Ich heiße Hannes. – Hanna und Hannes.

Wie heißt du?	Hanna. / Ich heiße Hanna.
Wer bist du?	Hannes. / Ich bin Hannes.

4 Guten Morgen – Guten Tag – Guten Abend

L1/4

Hör zu und sprich nach.

Guten Morgen.   Guten Tag.   Guten Abend.

5 Stell dir vor, du bist ...

Hallo, Hanna!

Hanna?
Ich heiße Claudia.

Wie heißt du?

Claudia,
Claudia Schiffer.

Oh! Guten Tag.

L1/5

a) **Hör zu, lies mit, sprich nach.**

b) **Und auch so:**

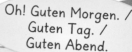
Wer bist du?

Oh! Guten Morgen. /
Guten Tag. /
Guten Abend.

...? Ich bin ...

Hallo, ...!

...

6 Meine Karte – deine Karte

Welche Situation ist das?

L1/6

7 Zahlen

a) **Hör zu, lies mit und sprich nach.**

L1/7

Reihe

20 zwanzig
19 neunzehn
18 achtzehn
17 siebzehn
16 sechzehn
15 fünfzehn
14 vierzehn
13 dreizehn

Platz — eins zwei drei vier fünf sechs sieben acht neun zehn elf zwölf
1 2 3 4 5 6 7 8 9 10 11 12

b) **Zeig mit und sprich nach.**

L1/8

8 Welche Karten sind richtig?

Hör noch einmal zu.

L1/6

Reihe 16
Platz 2

Reihe 16
Platz 3

Reihe 17
Platz 3

Reihe 16
Platz 14

Reihe 17
Platz 4

Reihe 16
Platz 4

9 Viele Karten

Was passt?

1 Reihe fünfzehn – Platz zwölf
2 Reihe zwölf – Platz zwanzig
3 Reihe fünf – Platz sechs
4 Reihe dreizehn – Platz sechs

1	2	3	4
?	?	?	?

Lösung:

10 Wer bist du?

Und auch so:

Ich heiße ... .
Nummer ... ? Wie heißt du?

Schnell!

11 Zahlen-Memory 1 – 20

Zahlen schreiben

Wörter schreiben

spielen

Strategie

*Achte auf die Geräusche.
Vielleicht erkennst du die
Situation. Dann kannst du besser
verstehen, worum es geht.*

12 Das Konzert fängt an

a) Deck die Bilder zu.
Hör auf die Geräusche.
Welche Situation ist das?

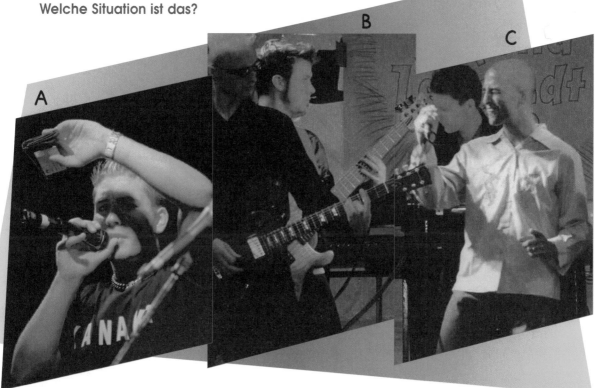

A   B   C

b) Was verstehst du?

c) Was ist richtig? – Rechenrätsel

Bild A: Wer ist das?	Bild B: Wie heißt die Gruppe?	Bild C: Wer ist das?
1 DJ Manni	4 Rocky O.	7 Sänger Tommy
2 DJ Micky	5 Antenne 3	8 Sänger Andreas
3 DJ Tommy	6 Poptop	9 Sänger Tobias

$$\begin{array}{r} \boxed{?} \\ + \boxed{?} \\ + \boxed{?} \\ \hline = 15 \end{array}$$

13 Was verstehst du?

DJ Bobo, 35, Popmusiker, mit richtigem Namen René Baumann, mag seinen Künstlernamen nicht mehr. „Als DJ Bobo hat man international keine Chance", sagte er in einem Interview. Der Spitzname stammt von der Comic-Figur „BoBo, König der Ausbrecher". Bobo heißt in Spanien und Lateinamerika Idiot!

Lektion 2

Am Kiosk

1 Die Pause fängt an

a) Schau das Bild an und hör zu.

b) Hör die Fragen und antworte.

Super!/Toll!   Gut.

Na ja. Es geht.   Doof./Blöd.

Richtig? Sprich nach.
Zu schwer? Dann hör zuerst
alle Fragen und Antworten.

c) **Hör zu und sprich nach.**

✻ Wie findest du Rocky O.?   ✻ Ich finde Pop toll. Und du?   ✻ Findest du Tommy gut?
▲ Super.   ▲ Ich finde Pop doof.   ▲ Na ja. Es geht.

2 Wie findest du ... ?

3 Zweimal Milch, bitte.

a) **Hör zu, zeig mit und sprich nach.**

Cola

Limonade/ Limo

Saft

Wasser

Milch

Kaffee

Tee

 L2/5

b) **Und auch so:** ✱ Also, was möchtest du? ▲ Hm.   ✱ Möchtest du Tee/Cola/Wasser/…? ▲ …

Wie findest du Pop?	Toll. / Ich finde Pop toll.	**Findest** du Pop gut?	Ja./
Was möchtest du?	Tee. / Ich möchte Tee.	**Möchtest** du Tee?	Nein.
Was trinkst du?	Saft. / Ich trinke Saft.	**Trinkst** du gern Saft?	
Wie heißt du?	Eva. / Ich heiße Eva.	**Heißt** du Eva?	
Wer bist du?	Paul. / Ich bin Paul.	**Bist** du Paul?	

4 Viele Fragen

Möchtest du … ?

Trinkst du gern …?

…

…

Schnell!

5 Lauter Laute

a) **Hör zu und sprich nach.**  ch-ch-ch-ch

 L2/6

So sprichst du das *ch* bei se<u>ch</u>zehn, <u>ich</u> mö<u>ch</u>te M<u>ilch</u>   Aber: sechs [zɛks]

b) **Was ist falsch? 1, 2, 3, 4 oder 5?**

 L2/7

c) **Lies laut.**

Was möchtest du?   Ich möchte Milch.   Möchtest du Milch?   Ich möchte sechzehn Cola.

6 Was möchtest du?

a) **Hör zu und lies mit.**

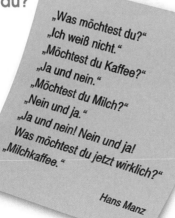

„Was möchtest du?"
„Ich weiß nicht."
„Möchtest du Kaffee?"
„Ja und nein."
„Möchtest du Milch?"
„Nein und ja."
„Ja und nein! Nein und ja!
Was möchtest du jetzt wirklich?"
„Milchkaffee."

Hans Manz

b) **Und auch so:**

 Trauben + Saft = Traubensaft

 Eis + Kaffee = Eiskaffee

 Bananen + ? = ?

7 Nach dem Konzert

✳ He! Hannes! Hallo!
▲ O je! Günter!

a) **Ordne den Text.**

✳ Guten Tag, Hanna.

✳ Hallo, Hannes.
● Hallo.
▲ Tag, Günter.

✳ Wer bist du denn?
● Ich? Ich bin Hanna.

L2/9

b) **Hör den Text zur Kontrolle. Sprich nach.**

8 Ich bin Günter!

✳ Du bist also Hanna.
● Ja. Und du bist Günter.
✳ Richtig.
Ich bin 15 Jahre alt.
Ich mache viel Sport.
Ich spiele Tennis, Volleyball,
Eishockey, ...
Was noch? ... Ich spiele Gitarre,
ich spiele gut Gitarre!
Und ich höre gern Musik.
Ich finde Rocky O. super.
Aber auch Poptop ist ganz gut.
Noch Fragen?
● O nein!

L2/10

a) **Hör zu und lies mit.**
Ordne die Bilder.

1	2	3	4	5	6
G	?	?	?	?	?

Lösung:

L2/11

b) **Hör zu.**
Zeig auf den Bildern mit.

L2/12

c) **Hör zu und sprich nach.**

9 Frag deinen Partner.

Hörst du gern Musik?

Wie alt bist du?

Was machst du gern?

Spielst du Gitarre?

Ja. Sehr gern.

Zwölf. / Ich bin zwölf Jahre alt.

Ich spiele gern Tennis.

Nein.

Ich			
	mache	Sport.	Ich —e
	höre	Musik.	
	spiele	Tennis.	
	trinke	Tee.	
	heiße	Maria.	
	möchte	Saft.	
	finde	Rocky gut.	
Ich	bin	Julia.	Ich bin
		elf.	

Du			
	machst	Sport.	Du —st
	hörst	Musik.	
	spielst	Tennis.	
	trinkst	Tee.	
	heißt	Maria.	—t
Du	möchtest	Saft.	—est
	findest	Rocky gut.	—est
Du	bist	Günter.	Du bist
		15 Jahre alt.	

Tipp!
Finde die Grammatik-regeln selbst. Dann helfen sie dir wirklich.

10 Wie bitte?

Hör den Satz und die Frage mit hmm!! **Ergänze.**

Hör zur Kontrolle die Frage. Sprich nach.
Zu schwer? Dann hör zuerst die ganze Übung.

L2/13

11 Und tschüs!

Ergänze.

* Na, Hanna? Wie alt bist du?
● Vierzehn. Und?
* Nur so. ✳✳✳ du Sport?
● Ja.
* ✳✳✳ du Gitarre?
● Nein.

* ✳✳✳ du gern Musik?
● Ja.
* ✳✳✳ du Fragen doof?
● O ja! – Und tschüs!
▲ Tschüs, Günter!
* He! Moment mal! Auf Wiedersehen!

Hör den Text zur Kontrolle.

L2/14

12 Ratespiel – Wer bin ich?

Ich bin 13 Jahre alt.
Ich höre gern Musik.
Ich spiele Tennis.
Ich finde Pop ...
Ich trinke gern ...

schreiben

einsammeln

Karte ziehen

Ich bin ...
Wer bin ich?

Bist du ...?

vorlesen   **raten**

13 Der Poptop-Hit „Hallo, hallo, hallo"

L2/15

a) Hör zu und lies mit.

1.
Hallo, hallo, hallo!
Sag mir, wer bist du?
Hallo, hallo, hallo!
Sag mir, wie heißt du?
Heißt du Eva?
Heißt du Pia?
Heißt du Sara
oder Maria?
Ich heiße Hanna.
Hanna? Hanna.
Dein Name ist Musik.
Hanna, ich glaube,
du bist mein Glück.

2.
Hanna, Hanna, Hanna!
Sag mir, machst du Sport?
Spielst du Tennis
oder Hockey
oder Volleyball im Ort?
Ich spiele Tennis.
Ehrlich?
Das ist auch mein Sport.
Hanna, ich glaube,
ich liebe dich.
Bitte geh' nie wieder fort.

3.
Hanna, ...
Sag, was trinkst du gern?
Trinkst du gern Limo/ ... ?
Ich trinke gern ...
Wirklich? Ehrlich?
Das trinke ich auch gern.
Hanna, ich glaube, ...

4.
Hanna, ...
Wie findest du Musik?
Wie findest du Pop/ ... ?
Ich finde ... toll.
Wirklich? Ehrlich?
Das ist auch meine Musik.
Hanna, ich glaube, ...

b) Mach die 3. und 4. Strophe fertig. Singt das Lied, wenn ihr möchtet.

c) Und auch so:
   Hannes – Günter – ...

Das kann ich schon:

Sätze und Wörter:

- sich begrüßen: Hallo. – Tag! – Guten Morgen. – Guten Tag. – Guten Abend.

- sich verabschieden: Tschüs. – Auf Wiedersehen.

- sich vorstellen: Wer bist du? Wie heißt du? – Ich bin/heiße ...

- Wünsche äußern: Was möchtest du? – Ich möchte Milch.

- eine Meinung äußern: Wie findest du ...? – (Ich finde ...) super/toll/gut/doof/blöd. Findest du ... gut? – Na ja. Es geht.

- sagen, was man gern macht: Ich höre gern Musik. Ich mache/trinke/... gern ...

- Zahlen 1 – 20:   eins, zwei, drei, vier, fünf, sechs, sieben, acht, neun, zehn, elf, zwölf, dreizehn, vierzehn, fünfzehn, sechzehn, siebzehn, achtzehn, neunzehn, zwanzig

- Getränke: Limonade/Limo, Cola, Saft, Wasser, Milch, Kaffee, Tee

- was man in der Freizeit machen kann: Sport machen, Tennis/Volleyball/Eishockey spielen, Gitarre spielen, Musik hören

GRAMMATIK

1. Satz

a) Aussagesatz	b) Ja/Nein-Frage		c) W-Frage			
Ich heiße Maria.	Hörst du gern Musik?	– Ja.	Wer	bist	du?	– Andrea.
Ich spiele Gitarre.	Machst du Sport?	– Nein.	Wie alt	bist	du?	– Vierzehn.
			Was	möchtest	du?	– Saft.

2. Verb

	spielen	machen	hören	trinken	heißen	finden	möcht-	sein
ich	spiele	mache	höre	trinke	heiße	finde	möchte	bin
du	spielst	machst	hörst	trinkst	heißt	findest	möchtest	bist

Familien-Quiz

1   Wer darf mitmachen?

Da möchte ich mitmachen!

L3/1

a) Hör zu und schau die Bilder an.

b) Lies die Sätze. Hör noch einmal zu. Ja oder nein?

1   Die Sendung heißt Familien-Quiz.   *ja* ?   *nein* ?

2   Wir suchen 200 Personen.   *ja* ?   *nein* ?

3   Eine Familie ist fünf Jahre alt.   *ja* ?   *nein* ?

4   Die Adresse ist:
   Senderstraße 11, 80963 München   *ja* ?   *nein* ?

5   Der Moderator sagt „Guten Tag".   *ja* ?   *nein* ?

2 Familie Weiß

Hör zu und zeig mit.

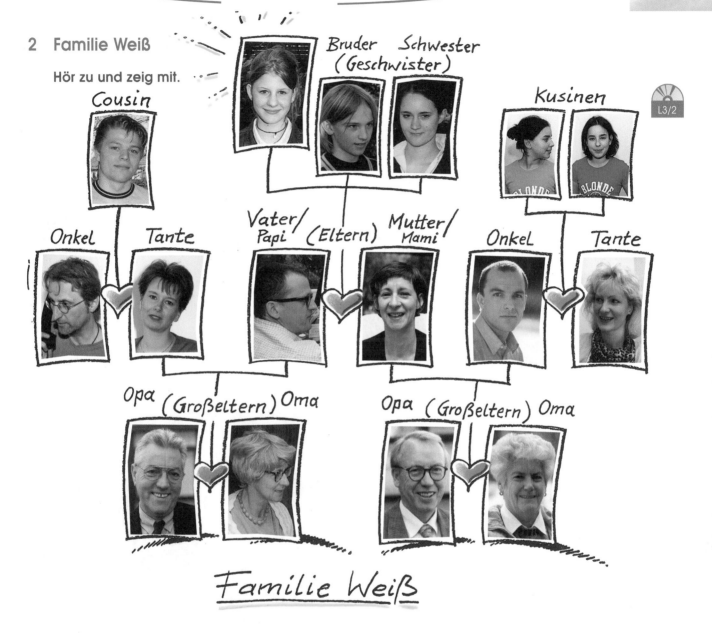

Cousin

Bruder Schwester
(Geschwister)

Kusinen

Onkel Tante

Vater/ Papi (Eltern) Mutter/ Mami

Onkel Tante

Opa (Großeltern) Oma

Opa (Großeltern) Oma

Familie Weiß

3 Lauter Laute

a) **Zeig mit und sprich nach.**

Vater

[D]

b) **Du schreibst -er. Du sprichst [D].**
Lies mit und sprich nach.
Vater - Mutter - Bruder - Schwester

Tipp!
Dein Partner spricht. Du hörst genau zu. Hörst du einen Fehler? Verbessere.

c) **Lies laut. Hör zu. Richtig? Wiederhole.**
Bruder – Schwester – Mutter – Vater – Schwester –
Mutter – Bruder – Vater

4 Wörterkasten

a) **Vorderseite: Schreib die Wörter auf Karten.**

●   ●   ○

Vater	Mutter	Eltern
Papi	Mami	Großeltern
Opa	Oma	Geschwister
Bruder	Schwester	
Onkel	Tante	
Cousin	Kusine	

Rückseite: Schreib das Wort in deiner Sprache. Mal ein Bild dazu.
Steck die Karten in einen Kasten. Schreib auf eine Titel-Karte *Familie.*

b) **So kannst du üben:**

Nimm eine Karte.
Lies das Wort in deiner Sprache.
Sag das Wort auf Deutsch.
Kontrolliere.

5 Wie alt?

Hör zu und zeig auf Seite 19 mit.

L3/6

● Mami, wie alt bist du denn?
▲ Das weißt du doch! 39.
● Und wie alt ist Tante Gertrud?
▲ Warte mal. Sie ist 42.
● Und Onkel Alfred?
▲ Onkel Alfred? Er ist 51.
● Aha. Und Paula und Pia? Vierzehn?
▲ Nein, sie sind doch erst dreizehn.
● Aber ich bin vierzehn.
▲ Ja und?
● Nur so.

Ich bin 14.   **Du bist** zehn.   **Er ist** 18.   **Sie ist** 17.   **Sie sind** 13 Jahre alt.

6 Zahlen

a) Hör zu und lies mit.

L3/7

20 zwanzig	25 fünfundzwanzig	30 dreißig	40 vierzig
21 einundzwanzig	26 sechsundzwanzig	31 einunddreißig	50 fünfzig
22 zweiundzwanzig	27 siebenundzwanzig	32 zweiunddreißig	60 sechzig
23 dreiundzwanzig	28 achtundzwanzig	33 dreiunddreißig	70 siebzig
24 vierundzwanzig	29 neunundzwanzig	34 ...	80 achtzig
			90 neunzig

Neckargasse

22

14 vier**zehn**	15 fünf**zehn**	16 17 18 19		
40 vier**zig**	50 fünf**zig**	60 70 80 90		

100 (ein)hundert
200 zweihundert
1000 (ein)tausend

Die Zahl:	1999 eintausendneunhundertneunundneunzig	2001 zweitausendeins
Das Jahr:	1999 neunzehnhundertneunundneunzig	2001 zweitausendeins

b) Hör zu, zeig mit und sprich nach.

L3/8

c) Du schreibst -ig. Lies laut. Hör zu. Richtig? Wiederhole.

zwanzig

Du sprichst [iç].

[iç]

L3/9

sechsundvierzig – achtundfünfzig – einundsechzig –
dreiundsiebzig – zweiundachtzig – neunzig

7 Rechnen

Hör zu und schreib auf.

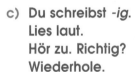

vierundsiebzig

74

L3/10

✳✳ + ✳✳ + ✳✳ + ✳✳ + ✳✳ + ✳✳ + ✳✳ + ✳✳ + ✳✳ + ✳✳ = sechshundert

8 Spiel: Mehr oder weniger

● 300.	● 550.	▢ 565.
▲ Mehr.	▲ Mehr.	▲ Weniger.
✴ 500.	◗ 570.	● 563.
▲ Mehr.	▲ Weniger.	▲ Richtig.

L3/11

9 Am Telefon

● 25 - 98 - 76
■ Neumann.
● Wie bitte? Ist da nicht Büttner?

■ Nein, hier ist Neumann.
● Oh, Entschuldigung.
■ Ach, das macht nichts.
● Mal sehen.
   Ah! 25 - **89** - 76!
➤ Sara Büttner.
● Hallo, Sara. Hier ist Lisa.
➤ Hallo, Lisa!

Und auch so:

34 - 87 - 72	→	34 - 87 - **27**		17 - 46 - 53	→	17 - 46 - **35**
Maler		Julia Weber		Graf		Tommy Gutmann

10 Wie alt sind sie?

L3/12

Hör zu und ergänze.

Ich bin ✸✸.
Meine Mutter ist ✸✸.
Meine Tante Gertrud ist ✸✸.
Mein Onkel Alfred ist ✸✸.
Meine Kusinen sind ✸✸.
Und meine Schwester ist ✸✸.

11 Was passt?

L3/13

Hör zu und ordne.
Vielleicht kannst du die Antworten auch ohne Hilfe ordnen. Dann hör den Text nachher.

Sara:
1 Wie alt ist denn dein Vater?
2 Und dein Bruder?
3 Und deine Tante Helga?
4 Wer ist noch da?
5 Wie alt ist er?
6 Fabian? Wer ist das denn?
7 Und wie alt sind deine Großeltern?

Lisa:
I Das ist mein Cousin. Er ist 18.
M Sie ist 37.
L 40. Und dann ist da noch Fabian.
F Er ist 46.
A Er ist erst zehn.
I Mein Onkel Jörg.
E Sie sind - warte mal - 68 und 69. Oma ist 68
   und Opa 69. Und meine andere Oma ist 71.

	1	2	3	4	5	6	7
Lösung:	?	?	?	?	?	?	?

12 Zusammen 200 Jahre?

Wer hat recht?
Lisa und Sara rechnen so:

ich
meine Mutter
mein Opa
Tante Gertrud
Tante Helga

du
dein Vater
deine Oma Emma
dein Cousin
dein Onkel Alfred

13 Lauter Laute

a) **Lies mit und sprich nach.** mein Papi – meine Mami – mein Cousin – meine Kusine –
deine Geschwister – deine Eltern – dein Vater

L3/14

b) **Du schreibst** *ei.* **Du sprichst** [ai]. [ai]

L3/15

Lies laut. Hör zu. Richtig? Wiederhole.
mein Onkel – meine Tante – meine Großeltern – deine Mutter – dein Bruder – deine Schwester

mein/dein	**meine/deine**	**meine/deine**
Vater/Papi	Mutter/Mami	Eltern
Bruder	Schwester	Großeltern
Opa	Oma	Geschwister
Onkel	Tante	
Cousin	Kusine	
Das ist mein Vater.	Das ist meine Mutter.	Das sind meine Eltern.
Ist das dein Opa?	Ist das deine Oma?	Sind das deine Großeltern?

14 Meine Familie – deine Familie

Bringt Familienfotos mit.

Das ist meine Mutter.
Sie ist ... Jahre alt.

Und wer ist das?

Das ist ...

Das ist
mein Vater.

Wie alt ist
er denn?

Sind das deine
Großeltern?

Ja,
mein Opa ist ...

Wir kommen ins Fernsehen

1   Wer macht mit?

● Du, Papi, du kennst doch „Familien-
   Quiz" im Fernsehen.
▲ Ja, und?
● Ich möchte mitmachen. Du auch?
▲ Wie bitte?
● Na ja. Möchtest du mitmachen?
▲ Ich weiß nicht.
● Bitte, Papi!
▲ Nein. Nein, ich möchte nicht.
   Ich spiele nicht so gern.
● Bitte, bitte, bitte!
▲ Na gut.

Mach die Dialoge auch so:
Lisa telefoniert mit Onkel Alfred (Alfred Hönig).   **Lisas Cousin Fabian sagt sofort ja.**
Er reagiert wie Papi.

▲ Hönig.
❋ Hallo, Onkel Alfred. Hier ist Lisa.
▲ Hallo, Lisa.
❋ Du, Onkel Alfred ...

Ja, klar.

Hör zur Kontrolle die Telefongespräche.

Guten Abend.

2   Bei Oma

a) **Hör zu. Was ist richtig? Was ist falsch?**
   1   Lisa sagt: Hallo, Opa.
   2   Sara sagt: Guten Abend.
   3   Oma fragt: Wie geht's?
   4   Oma sagt: Das ist nicht toll.
   5   Lisa sagt: Oma, du bist doch nicht zu alt.
   6   Oma sagt: Ich mache nicht mit.
   7   Sara sagt: Gute Nacht, Frau Weiß.

Tschüs.

Wiedersehen.

b) **Lies die Sätze richtig vor.**
   Hör zur Kontrolle noch einmal zu.

Gute Nacht.

Ich weiß **nicht**.	Nein, ich möchte **nicht**.
Ich lerne **nicht**.	Ich spiele **nicht** so gern.

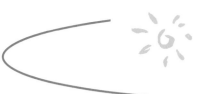

3 Mir ist so langweilig!

L4/5

▲ Du, Lisa! Was machst du denn? Liest du?
❄ Nein!
▲ Wie bitte?
❄ Nein, ich lese nicht.
▲ Telefonierst du?
❄ Ja, ich telefoniere ... Was ist denn, Max?
▲ Ach, mir ist so langweilig!

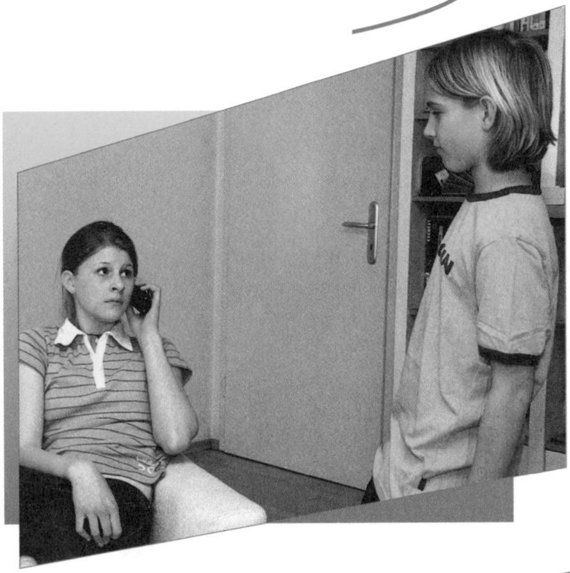

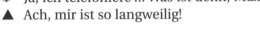

L4/6

a) Und auch so:

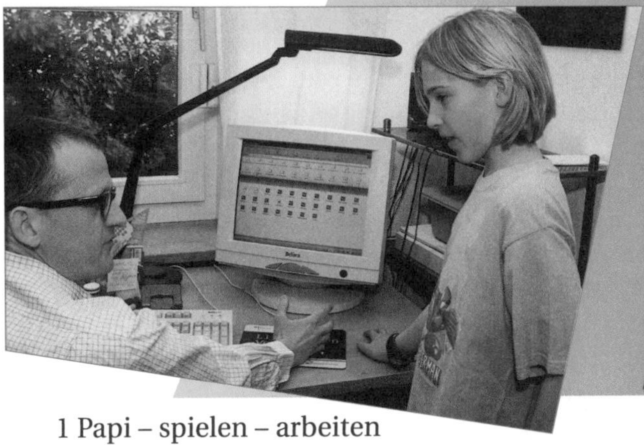

1 Papi – spielen – arbeiten

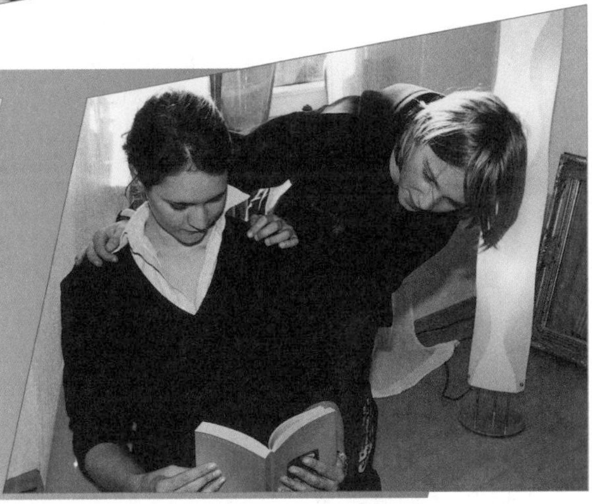

2 Eva – lernen – lesen (⚠ Liest du?)

b) Schreib die Dialoge mit :

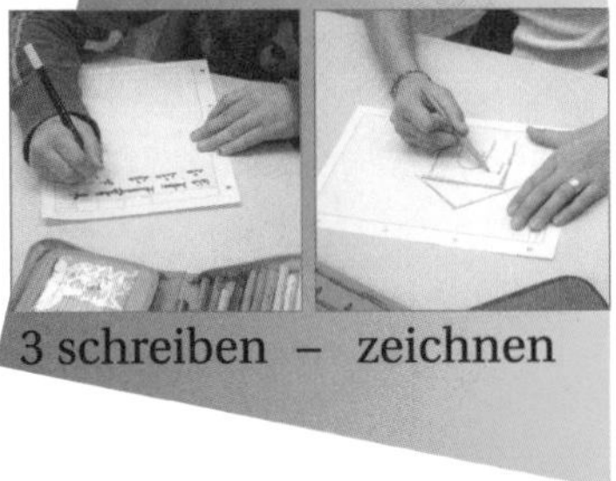

3 schreiben – zeichnen

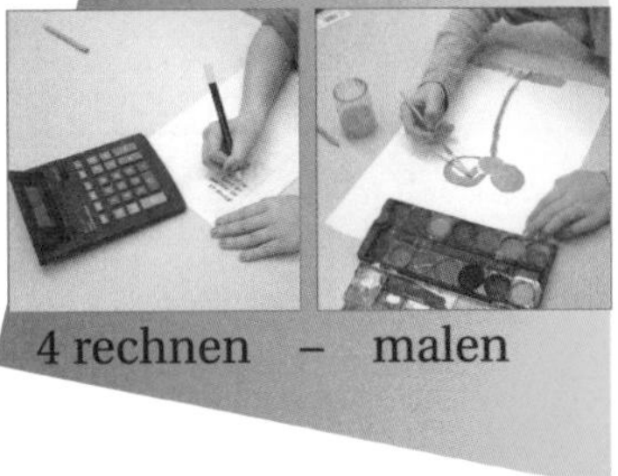

4 rechnen – malen

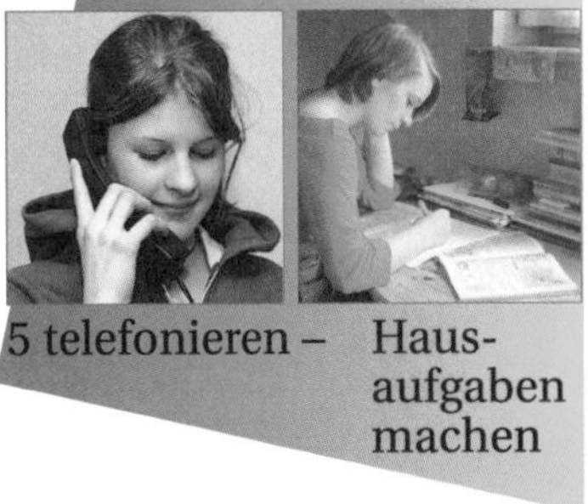

5 telefonieren – Hausaufgaben machen

4 Lauter Laute

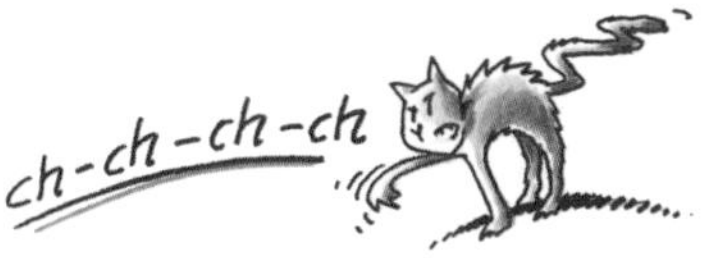

So sprichst du *-ich, -ech, -öch, -eich:*
Aber: sechs [zɛks].

Hör zu und sprich nach.

Tipp!
So kannst du kleine Texte auswendig lernen: einen Satz still lesen, Augen zu, auswendig sprechen. Dann den nächsten Satz ...

L4/7

5 Das ist meine Familie

Lisa schickt Fotos an Kanal 85 und stellt ihre Familie vor.

K

1 Das bin ich, Lisa Weiß. Ich bin vierzehn, höre gern Musik, aber ich lerne nicht so gern. Na ja. Aber ich telefoniere gern und viel, vor allem mit Sara. Das ist meine Freundin.

N

2 Das ist mein Vater. Er heißt Markus Weiß. Er ist 46 Jahre alt und eigentlich ganz sportlich. Aber er arbeitet so viel. Deshalb macht er nur manchmal Fitness-Training.

L

3 Mein Cousin Fabian ist 18. Er macht nicht gern Sport. Er geht gern in die Schule und lernt viel! Er zeichnet gern und er liest viel. Aber er ist ganz nett.

O

4 Meine Oma ist super! Sie heißt Emma Weiß. Sie ist schon 71. Aber sie hört immer noch gern Rock'n' Roll und spielt Gitarre.

E

5 Das ist Onkel Alfred, Alfred Hönig. Er ist 51. Er arbeitet bei einer Computer-Firma. Und zu Hause macht er immer Computerspiele.

a) **Was passt zusammen?**   Lösung:

1	2	3	4	5
?	?	?	?	?

b) **Wer ist das?**

er/sie	spielt		er/sie	zeichnet	er/sie	liest
	lernt	**er/sie –t**		rechnet		
	hört			arbeitet		

sie:
+ Musik
+ telefonieren
− lernen

er:
− Sport
+ zeichnen
+ ...

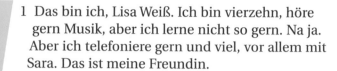
Sie hört gern Musik und sie telefoniert gern. Aber sie lernt nicht gern.

Das ist Lisa.

c) **Und jetzt ihr:**
Personenraten in der Klasse.

sie: + ... + ... − ...

Das ist ...

6 Die Kandidaten

a) **Hör zu.**
   Such die Städte
   auf der Karte
   auf Seite 30.

Familie Egli

Familie Adriani

L4/8

Familie Weiß

Familie Richter

b) **Welche Antwort passt?**

1	Woher kommt Familie Richter?	A	Aus Italien.
2	Wo wohnt Familie Richter?	T	Aus der Schweiz.
3	Woher kommt Familie Egli?	D	Aus Deutschland.
4	Wo wohnt Familie Egli?	P	Aus Österreich.
5	Woher kommt Familie Adriani?	O	In Österreich, in Wien.
6	Woher kommt Herr Adriani?	S	In der Schweiz, in Bern.
7	Wo wohnt Familie Adriani?	M	In Deutschland, in Hamburg.

Strategie

Schau die Bilder an. Sie zeigen die Situation. So kannst du den Hörtext besser verstehen.

1	2	3	4	5	6	7
?	?	?	?	?	?	?

Woher kommt Lisas Familie?   Aus:

Woher kommt sie/er?	**Aus** Deutschland/Österreich/Italien/Bern/Wien/...	**Aus der** Schweiz.
Wo wohnt sie/er?	**In** Deutschland/Österreich/Italien/Bern/Wien/...	**In der** Schweiz.

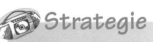

7 Schau genau

Wer ist Familie A, B ...?
Woher kommt sie?
Wo wohnt sie?

A   B   C   D

8 Im Fernsehen

Hör zu. Wie ist es richtig?

L4/9

Also, das ist mein Vater. Er heißt ...

Das kann ich schon:

Sätze und Wörter:

- telefonieren: Hallo! – Hier ist ... – Wie bitte? – Entschuldigung. – Das macht nichts.

- sich verabschieden: Wiedersehen. – Tschüs. – Gute Nacht.

- jemanden vorstellen: Wer ist das? Das ist ... – Wie heißt er/sie? – Er/Sie heißt ... – Wie alt ist er/sie? – Er/Sie ist ... (Jahre alt). – Er/Sie spielt /arbeitet/lernt gern/viel.

- Familie: Vater – Mutter (Eltern), Bruder – Schwester (Geschwister), Opa – Oma (Großeltern), Tante – Onkel, Cousin – Kusine

- Zahlen bis 1000:   einundzwanzig → dreißig → (ein)hundert, hunderteins → zweihundert → (ein)tausend

- was man zu Hause machen kann: lesen, telefonieren, spielen, arbeiten, lernen, schreiben, zeichnen, rechnen, malen, Hausaufgaben machen

GRAMMATIK

1. Verb

	machen	telefonieren	schreiben	heißen	arbeiten	zeichnen	finden	lesen
ich	mache	telefoniere	schreibe	heiße	arbeite	zeichne	finde	lese
du	machst	telefonierst	schreibst	heißt	arbeitest	zeichnest	findest	liest
er/sie	macht	telefoniert	schreibt	heißt	arbeitet	zeichnet	findet	liest

2. Verb *sein*

Singular		Plural
ich	bin	
du	bist	
er/sie	ist	sie sind

3. Negation

Ich lese **nicht**.
Du spielst **nicht** gern.   Möchtest du Milch? – Nein, ich trinke **nicht** gern Milch.
Er macht **nicht** gern Sport.

4. Possessivartikel

Singular		Plural
Maskulinum	Femininum	
mein Vater	meine Mutter	meine Eltern
dein Opa	deine Oma	deine Großeltern

5. Fragen

Woher kommt sie/er?	**Aus** Deutschland/Italien/Wien/Bern/...	⚠ **Aus der** Schweiz.
Wo wohnt sie/er?	**In** Deutschland/Italien/Wien/Bern/...	⚠ **In der** Schweiz.

1 Lesen

Strategie

Lies den Titel. Durch den Titel kannst du oft verstehen, worum es im Text geht.

a) **Lies den Titel. Worum geht es?**

Papa, ich und Rockmusik

„Du, Papa, ich möchte ins Rockkonzert gehen."

„Aha. Wer spielt denn?"

„Die Scorpions."

„Was? Die Scorpions? Da komme ich mit."

„Du??? Nein, bitte nicht!"

„Na, hör mal!"

„Na ja, du und Rockkonzert! Du bist doch ..."

„... zu alt, meinst du?"

„Na ja ..."

„Ich kenne die Scorpions schon 20 Jahre."

„Ich weiß, aber ..."

„Seit 20 Jahren sind die Scorpions eine super Band, die beste in Deutschland! Ich bin ein Fan!"

„Ja schon, aber ... Wie sieht das denn aus, wenn ich mit Papa komme?"

„Na und? – Wo ist denn das Konzert?"

„Im Olympiastadion."

„Und wann?"

„Am 30. September, 21.00 Uhr."

„Um 21.00 Uhr! So spät! Und wie alt bist du?"

„Vierzehn. Ich weiß, es ist sehr spät. Aber Jan geht auch, und Hanna auch."

„Du möchtest doch auch hingehen. Also, Daniel, ... ich komme mit."

„O je!"

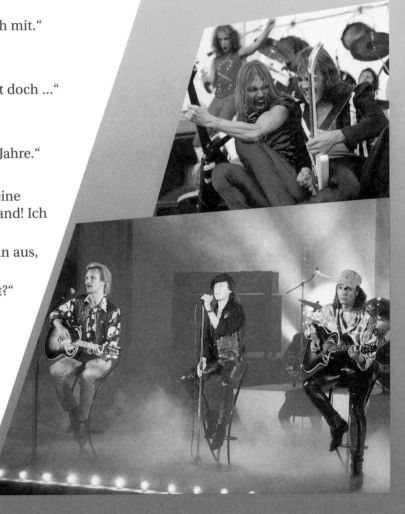

b) **Du verstehst sicher nicht jedes Wort. Aber das macht nichts. Das verstehst du bestimmt:** Papa kommt mit ins Rockkonzert. **Wie findet Daniel das?**

c) **Macht ein Plakat für das Konzert.**

L4/10

2 Landeskunde

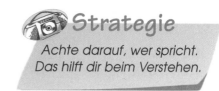
Strategie
*Achte darauf, wer spricht.
Das hilft dir beim Verstehen.*

a) Hör zu. Wo ist das?

b) Wen interviewt die Reporterin?
Die Scorpions – Zuschauer – eine Familie

c) Zeig die Städte auf der Karte.

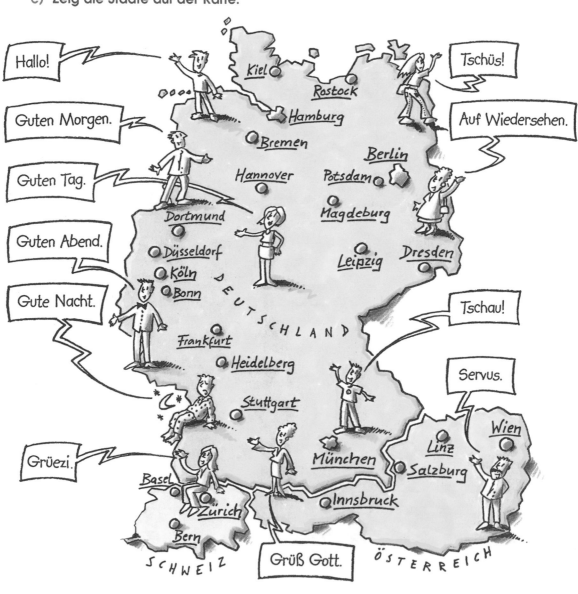

d) **Wer kommt woher?**

1 Woher kommt Anja? Aus Österreich oder aus der Schweiz?
2 Woher kommt Jens? Aus München oder aus Köln?
3 Woher kommt Frau Altmann? Aus Köln oder aus Zürich?
4 Woher kommt Pirmin? Aus der Schweiz oder aus Deutschland?

Zum Schluss

3 Gemeinschaftsarbeit – Klassenplakat

Ich heiße Lena.
Ich bin 14 Jahre alt.
Ich lerne Deutsch.
Ich finde Hip-Hop gut.
Ich male gern.

Ich heiße Felix.
Ich mache viel Sport.
Ich finde Volleyball
super.

4 Wiederholung

4.1 Kartenspiel: „Schwarzer Peter"

a) Schreibt Fragen- und Antwortkarten – mindestens 12 Paare.

Wer bist du?	Ich bin ...
Wie heißt du?	Ich heiße ...

Und dazu:

Schwarzer Peter

Trinkst/Spielst/ ... du gern?
Wie alt bist du?
Findest du ... gut?
Was möchtest du?
Was machst/hörst/trinkst/
spielst/ du gern?

Ja,/Nein, ich trinke/spiele/ ...
Ich bin ...
Ja/Nein, ich finde ...
Ich möchte ...
Ich ...

b) Spielt in Gruppen.

Karte vom Partner rechts ziehen

Wer hat ein Frage-Antwort-Paar? Ablegen und vorlesen.
Wer hat am Schluss den „Schwarzen Peter"?

4.2 Mail-Partner gesucht

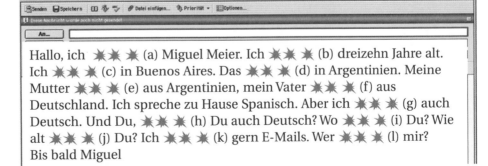

Hallo, ich ✳✳ ✳ (a) Miguel Meier. Ich ✳✳ ✳ (b) dreizehn Jahre alt.
Ich ✳✳ ✳ (c) in Buenos Aires. Das ✳✳ ✳ (d) in Argentinien. Meine
Mutter ✳✳ ✳ (e) aus Argentinien, mein Vater ✳✳ ✳ (f) aus
Deutschland. Ich spreche zu Hause Spanisch. Aber ich ✳✳ ✳ (g) auch
Deutsch. Und Du, ✳✳ ✳ (h) Du auch Deutsch? Wo ✳✳ ✳ (i) Du? Wie
alt ✳✳ ✳ (j) Du? Ich ✳✳ ✳ (k) gern E-Mails. Wer ✳✳ ✳ (l) mir?
Bis bald Miguel

1 heiße	4 ist	7 lerne	10 schreibt
2 wohne	5 bist	8 lernst	11 schreibe
3 wohnst	6 bin	9 kommt (zweimal)	

a	+b	+c	+d	+e	+f	−g	−h	+i	+j	+k	−l	
1	+6	+?	+?	+?	+?	−?	−?	+?	+?	+?	−?	= 25

5 Lernen

5.1 Sprachheft

a) Für jedes Thema gibt es eine Seite.

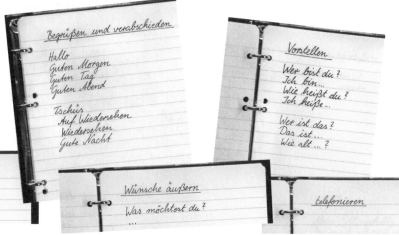

Seiten immer ergänzen.

b) So kannst du üben.

allein oder zu zweit (mit dem Partner)

5.2. Wörterkasten

a) Schreib jedes neue Wort auf eine Karte.

Saft   Wasser   Cola
Tee   Limonade
Kaffee   Milch

b) Lern immer nur fünf Wörter auf einmal.

Tee   Kaffee   Wasser   Milch   Saft

Kannst du ein Wort nicht? Nach hinten stecken und bald wiederholen.
Wörter regelmäßig wiederholen!

c) Wörter im ganzen Satz üben.

Ich trinke gerne Milch

Wie heißt dein Vater?   Herbert.

Schule
und
Lernen

Ich komme gerade nach Hause. Mein Rucksack ist so schwer. Und jetzt noch Hausaufgaben! Machst du gern Hausaufgaben?

Stundenplan

	Montag	Dienstag	Mittwoch	Donnerstag	Freitag	Samstag	Sonntag
	Englisch	Mathematik	Französisch	Mathe	Physik		
	Französisch	Französisch	Englisch	Erdkunde	Englisch		
	Deutsch	Religion	Physik	Französisch	Mathe		
		Englisch	Mathe	Geschichte	Deutsch	frei	frei
	Informatik	Deutsch	Sport	Kunst	Biologie	☺	☺
6.	Religion	Musik	Sport	Kunst	Informatik		

Das lernst du:

- einen Vorschlag machen
- einen Stundenplan lesen
- sich entschuldigen
- die Unterrichtsfächer
- die Wochentage

- die Schulsachen
- die Uhrzeit
- was man in der Pause isst und trinkt
- die Monate
- das Datum

Die Neue

1 Ein Alptraum

 L5/1

a) Schau die Bilder an und hör zu.

b) Schau die Bilder an und lies die Texte. Was passt zusammen?

Lösung:
Maria findet Geschichte

1	2	3	4	5
?	?	?	?	?

S
Wir haben Kunst. Wir malen. Wo ist dein Malkasten?

P
Wo ist denn nun Hongkong? In Asien oder in Afrika? Und? Was ist jetzt? Erdkunde ist doch nicht so schwer!

E
Und? Bist du gut in Mathe? Na, mal sehen! Wie viel ist 4964 mal 1379?

U
Also, Maria, über Cäsar und das alte Rom weißt du wirklich viel. Bravo! Du findest Geschichte wohl interessant.

R
Das heißt nicht „Yes, sir". Das heißt „Oui, monsieur"! Wir haben Französisch!

c) Wie findest du Lehrerin / Lehrer 1, 2, ... ?

sympathisch – freundlich – nett

unsympathisch – unfreundlich – komisch

2 Unterrichtsfächer

a) Hör zu, zeig mit und sprich nach.

L5/2

b) Ordne die Wörter den Bildern zu.

1 Deutsch	6 Mathematik	11 Biologie	16 Textilarbeit
2 Englisch	7 Physik	12 Sozialkunde/Politik	17 Religion/Ethik
3 Französisch	8 Chemie	13 Sport	
4 Latein	9 Geschichte	14 Kunsterziehung	
5 Informatik	10 Erdkunde	15 Musik	

Tipp!
Sprich neue Wörter
beim Lernen laut.

	1	2	3	4	5	6	7	8	9	10	11	12	13	14	15	16	17
Lösung:	?	?	?	?	?	?	?	?	?	?	?	?	?	?	?	?	?

3 Lauter Laute

a) So sprichst du das ö: Mach die Lippen rund wie beim o. Sprich ein [e].
Hör zu und sprich nach.

L5/3

b) Was ist falsch? 1, 2, 3, 4 oder 5?

L5/4

c) Lies laut. Hör zu. Richtig? Wiederhole.

Jörg ist zwölf. Er kommt aus Österreich und wohnt jetzt in Köln. Oma und Opa sind noch in Österreich. Das ist blöd. Jörg hört gern Rock und Pop. Er lernt Französisch.

L5/5

4 Stundenplan

Stundenplan

	Montag	Dienstag	Mittwoch	Donnerstag	Freitag	Samstag	Sonntag
1.	Englisch	Mathematik	Französisch	Mathe	Physik		
2.	Französisch	Französisch	Englisch	Erdkunde	Englisch		
3.	Deutsch	Religion	Physik	Französisch	Mathe		
4.	Deutsch	Englisch	Mathe	Geschichte	Deutsch	frei	frei
5.	Informatik	Deutsch	Sport	Kunst	Biologie		
6.	Religion	Musik	Sport	Kunst	Informatik		

L5/6

● Hallo!
  Guten Morgen.

▲ Guten Morgen!

● He, was ist denn los?

▲ Ach, so ein Tag heute!

● Warum denn?

▲ Na hör mal! In der ersten Stunde Mathe! In der zweiten Stunde Erdkunde, in der dritten
  Französisch, in der vierten Geschichte und in der fünften und sechsten Stunde auch
  noch Kunst!

● Ach, komm! Das ist doch nicht so schlimm.

▲ Du hast gut reden.

a) **Schau auf den Stundenplan.**
   Welcher Tag ist das?

b) **Mach auch Dialoge mit anderen**
   Wochentagen.

5 Deine Fächer

a) **Schreib die Unterrichtsfächer auf Karten für den Wörterkasten.**
   Schreib auch eine Titel-Karte *Unterrichtsfächer.*

b) **Schreib deinen Stundenplan auf Deutsch.**
   Sprich mit deinem Partner.

Ich finde
Mathe toll.

Blöd. Ich habe heute Mathe.

Hast du heute Kunst?

...

Ja. Kunst ist
mein Lieblingsfach.

6 Viele Fragen

Schau auf den Stundenplan, hör zu und antworte.

1 Was hat die Klasse am ...?
2 Was für ein Tag ist das?
3 Wann hat die Klasse das?

ich	habe
du	hast
er/sie	hat

L5/7

7 Partner-Suchspiel: Was hast du?

Immer zwei gleiche Zettel schreiben.   **Zettel einsammeln und anders verteilen.**

Durch die Klasse gehen und Partner suchen

Kontrolle nach dem Spiel: Lena hat am Montag in der zweiten Stunde Englisch.   Richtig.

8 Lauter Laute

L5/8

a) **So sprichst du das *sch*.**
   Hör zu, lies mit und sprich nach.

Deutsch – Englisch – Französisch – Geschichte – Englisch – Französisch –
Englisch – Schwester – Schweiz – Schule – schreiben – Geschwister – Entschuldigung –
Deutschland – Französisch – Geschichte – Tschüs – schreiben

b) **Du schreibst *sp-* und *st-* am Anfang. Du sprichst [ʃp]- und [ʃt].**
   Lies laut. Hör zu. Richtig? Wiederhole.

L5/9

Sport – spielen – Stunde – Stundenplan – Steffi – Stefan

9 Die Neue kommt

1 Es ist Donnerstag. Gleich beginnt der Unterricht. Alle Schüler sind schon da. Da kommt ein Mädchen und fragt: „Ist hier Klasse 7 b?" „Ja", sagt Sofia, „und wer bist du? Bist du neu hier?" „Ja, ich heiße Maria", antwortet das Mädchen. „Ich bin Sofia. Und das sind Steffi, Heiner und Tobias", stellt Sofia ihre Freunde vor. „Komm, wir haben hier noch Platz." „Danke", sagt Maria.

2 „Sag mal, seid ihr mehr Jungen oder mehr Mädchen?", fragt Maria. „Warte mal", antwortet Sofia, „wir sind vierzehn Mädchen, ääh jetzt fünfzehn und elf Jungen." „Aha!", sagt Maria, „Was haben wir denn jetzt?" „Physik", meint Heiner. „Quatsch!", sagt Sofia. „Wir haben jetzt Mathe."

3 Da kommt auch schon Herr Wegner. „Guten Morgen", sagt er. Und alle Schüler antworten: „Guten Morgen." „Herr Wegner", meldet sich Sofia, „wir haben eine neue Schülerin." „Hallo!", sagt Herr Wegner und geht zu Maria. „Ich bin Robert Wegner, dein Klassenlehrer. Und wie heißt du?" „Maria Papamastorakis," antwortet Maria. „Papa- was?", fragt Herr Wegner

erstaunt. „Papamastorakis", sagt Maria, „ganz einfach. Ich buchstabiere mal: Papa wie Papa und dann m - a - s - t - o - r - a - k - i - s, Pa-pa-mas-to-ra-kis." „Woher kommst du denn? Aus Griechenland?", fragt Herr Wegner. „Mein Vater kommt aus Griechenland. Ich bin in Stuttgart geboren", erklärt Maria.

4 „Gut", sagt Herr Wegner, „wir machen jetzt Unterricht." Maria flüstert: „Was macht ihr denn gerade in Mathe?" „Prozentrechnen", antwortet Sofia leise. „Prozentrechnen? Das geht", sagt Maria. „Hört ihr bitte zu?", sagt Herr Wegner. „Hier sind drei Aufgaben. Ihr rechnet jetzt allein. Wir kontrollieren nachher zusammen. Alles klar?" Sofia meldet sich: „Herr Wegner, Maria und ich, wir arbeiten zusammen, ja?" „Ist gut", sagt Herr Wegner, „also los!"

Strategie

Teile einen Text in Abschnitte. Gib den Abschnitten Titel. Das hilft beim Verstehen.

a) Zu welchen Abschnitten passen die Titel?

A	Die Mathematikstunde	?
B	Wer ist das denn?	?
C	So ein Name!	?
D	So ist die 7 b.	?

b) Beantworte die Fragen:

1. Wie heißt die Neue?
2. Wie viele Schüler sind in der Klasse 7 b?
3. Woher kommt Maria?
4. Was unterrichtet Herr Wegner?

c) Stell dir vor, ihr macht einen Film „Die Neue kommt". Schreib das Drehbuch. Du schreibst Abschnitt 1 und 4. Dein Partner schreibt Abschnitt 2 und 3. Schreib so:

Maria: Ist hier Klasse 7 b?
Sofia: Ja. Und wer bist du? Bist du ...?

Hör die Szene zur Kontrolle. Spielt die Szene.

L5/10

wir	haben		ihr	habt	
	machen	wir —en		macht	ihr —t
	rechnen			rechnet	ihr —et
Wir	sind 25 Schüler.	wir sind	Ihr	seid nett.	ihr seid

10 Spiel: Wer sind wir?

Wie viele seid ihr?

Wir sind zwei.

Woher kommt ihr?

Wir kommen aus Frankreich.

Wie alt seid ihr?

Ich weiß nicht. Keine Ahnung.

Macht ihr Musik?

Nein. Wir machen keine Musik.

Macht ihr Sport?

Nein.

Seid ihr Comic-Figuren?

Ja.

...

...

Heißt ihr Asterix und Obelix?

Ja.

Beatles

FC Bayern

Michael und Ralf Schumacher

11 Das ABC

Aa (a)	Gg (ge)	Mm (em)	Ss (es)	Yy (Ypsilon)
Bb (be)	Hh (ha)	Nn (en)	Tt (te)	Zz (zet)
Cc (ce)	Ii (i)	Oo (o)	Uu (u)	
Dd (de)	Jj (jot)	Pp (pe)	Vv (vau)	Dazu kommen die Umlaute
Ee (e)	Kk (ka)	Qq (ku)	Ww (we)	Ää Öö Üü
Ff (ef)	Ll (el)	Rr (er)	Xx (ix)	und das scharfe ß.

a) **Hör den Rap und lies mit.**

A - B - C   F - G - H   L - M - N - O - P   X - Y - Z
A - B - C - D - E   G - H - I - J - K   Q - R - S - T - U - V - W

L5/11

Komplett

b) **Hör zu und schreib auf.**

Du hörst: em-a-te-ha-e   **Du schreibst:** Mathe

L5/12

c) **Buchstabiere Wörter aus dem Text „Die Neue kommt". Dein Partner schreibt auf.**

Der erste Schultag

1 Im Erdkundeunterricht

L6/1

Schau das Bild an und hör zu.

1 Wer kommt in die Klasse?

2 Was unterrichtet Frau Bertram?

3 Wie heißt Frau Bertram noch?

4 Wie ist Frau Bertram?

2 Schulsachen

L6/2

a) **Hör zu, zeig mit und sprich nach.**

	A Maskulinum	B Neutrum	C Femininum	D Plural
	ein (mein, dein)	ein (mein, dein)	eine (meine, deine)	—- (meine, deine)
1	Bleistift	Heft	Tasche	Farbstifte
2	Füller	Buch	Schere	Filzstifte
3	Kuli	Lineal	Tafel	Sportsachen
4	Spitzer	Blatt (Papier)	Kreide	Turnschuhe
5	Radiergummi	Mäppchen	Landkarte	
6	Block			
7	Taschenrechner			
8	Malkasten			
9	Pinsel			
10	Atlas			
11	Ordner			

b) **Hör den Text „Im Erdkundeunterricht" noch einmal. Was hat Maria dabei? Schreib so: *A1, B3, ...***

Kontrolliert so:

A 1. Bleistift.

Das könnt ihr auch als Gruppenspiel machen.

Tipp!

Lern immer nur fünf bis sieben Wörter auf einmal. Aber wiederhole regelmäßig!

Schnell!

3 Spiel mit dem Wörterkasten

a) **Mach Karten für den Wörterkasten. Mach auch Farbpunkte:**
   ● Maskulinum;   ● Neutrum;   ● Femininum;   ○ Plural
   Schreib auch eine Titel-Karte *Schulsachen*.

b) **Leg alle Bildkarten auf den Tisch. Hör noch einmal den Text „Im Erdkundeunterricht".
   Bei jedem Wort hältst du das passende Bild in die Höhe.**

4 Was ist das denn?

✳ Wo ist dein Spitzer?
▲ Hier.
✳ Was? Das ist ein Spitzer?

▲ Und das ist mein Mäppchen.
● Was? Ein Mäppchen?

❑ Was ist das denn?
▲ Eine Schere.

❑ Und das da?
▲ Das sind Filzstifte.
❑ Wirklich?

L6/3

a) **Schau das Bild an. Was ist das?**

ein - mein - dein	ein - mein - dein	eine - meine - deine	— - meine - deine
H Spitzer	R Mäppchen	T Schere	C Filzstifte
P Taschenrechner	E Heft	A Tasche	N Sportsachen
S Radiergummi			
O Kuli			

Lösung:

	1	2	3	4	5	6	7	8	9	10
	S	?	?	?	?	?	?	?	?	?

Sprich so: Nummer 1 ist ein ...

b) **Mach auch Dialoge mit anderen Schulsachen.**

c) **Erfinde komische Schulsachen und zeichne. Die anderen raten.**

ein	ein	eine	—
(mein, dein)	(mein, dein)	(meine, deine)	(meine, deine)
Spitzer	Mäppchen	Schere	Filzstifte
Rucksack	Buch	Tafel	Farbstifte
Malkasten	Heft	Kreide	Sportsachen

Das ist ein Spitzer.   Das sind Filzstifte.

5 Wortkette

Ein Buch.

Ein Buch und eine Schere.

Ein Buch, eine Schere und ...

Spielt auch ohne Bildkarten.

6 Wir haben Französisch

L6/4

a) **Hör zu. Lies die Sätze. Richtig oder falsch?**

1 Die Schüler haben in der dritten Stunde Französisch.
2 Heiner sagt immer „Oui, monsieur".
3 Alle lachen.
4 Die Schüler lesen, sprechen und schreiben.
5 Sie spielen nicht gern.
6 Sie finden Herrn Bachmann nett.

b) **Schreib die Sätze richtig in dein Heft.**

c) **Stellt Fragen mit** *Wann? Wer? Was? Wie?* **und antwortet.**
   Beispiel:

Wer lacht?

Alle lachen.

sie	lachen		Sie sind nett.
	sprechen	sie –en	
	lesen		
	haben		

7 Lauter Laute

L6/5

a) **Hör zu und sprich nach. Achte auf die Betonung.**

L6/6

b) **Lies laut. Hör zu. Richtig? Wiederhole.**
   Wir <u>ma</u>len. Sie <u>sing</u>en. Wir <u>spiel</u>en.
   Die Schüler <u>les</u>en, <u>sprech</u>en und <u>schreib</u>en. Sie <u>ma</u>chen gern Kunst. Alle <u>la</u>chen.

8 In Geschichte

L6/7

* Wo ist dein Füller?
▲ Hier.
* Das ist kein Füller.
  Das ist ein Kuli.
▲ Tut mir leid.
* Immer das Gleiche.
  Schon wieder kein Füller.
■ Herr Weiß, das ist Maria. Sie ist neu hier.
* Ach ja? Ach so, Entschuldigung.

Und auch so:
● Heft - Blatt   ● Hausaufgabe (Hier geht der Dialog anders.)
● Bleistift - Kuli   ● Farbstifte - Filzstifte (Wo sind ...?)

Hier ist ein Füller.	Hier ist kein Füller.
Hier ist ein Heft.	Hier ist kein Heft.
Hier ist eine Hausaufgabe.	Hier ist keine Hausaufgabe.
Hier sind Farbstifte.	Hier sind keine Farbstifte.

9 Im Kunstunterricht

a) **Vergleiche die beiden Bilder. In Bild B fehlen sechs Sachen.**
   Sprich so: In Bild B ist/sind kein/keine ...

b) **Schreib Sätze zu Bild A.**
   Die Schüler ... in der fünften ... Kunst. Frau Schubert ... Kunst. Sie fragt Maria:
   „Wo ist ... Block? Ach so, du bist neu. Hier ist ... Blatt." Das Thema ist „Meine Familie".
   Alle ... Auch Maria malt. Sie ... gern und gut. Frau Schubert ... : „Sehr gut, Maria."
   Alle Schüler schauen ... : „Super, Maria!"

L6/8

10 Möchtest du mitkommen?

✳ Maria, wir möchten heute Tennis spielen.

◼ Aha?

▲ Hast du Lust? Möchtest du mitkommen ?

◼ Das ist nett, aber ich habe keine Lust.
Ich bin so müde.
Ich möchte nur noch nach Hause gehen,
Hausaufgaben machen und schlafen.

✳ Klar, das verstehe ich. Der erste Tag ...

Und auch so:

Volleyball spielen	mitspielen	lesen
zusammen Hausaufgaben machen	kommen	essen

ich	möchte	wir	möchten	Wir	möchten	Tennis	spielen.
du	möchtest	ihr	möchtet	Ich	möchte	nach Hause	gehen.
er/es/sie	möchte	sie	möchten		**möcht-**	**+**	**Infinitiv**

11 E-Mail aus Stuttgart

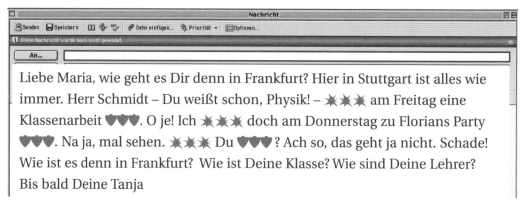

Liebe Maria, wie geht es Dir denn in Frankfurt? Hier in Stuttgart ist alles wie
immer. Herr Schmidt – Du weißt schon, Physik! – ✳✳✳ am Freitag eine
Klassenarbeit ♥♥♥. O je! Ich ✳✳✳ doch am Donnerstag zu Florians Party
♥♥♥. Na ja, mal sehen. ✳✳✳ Du ♥♥♥? Ach so, das geht ja nicht. Schade!
Wie ist es denn in Frankfurt? Wie ist Deine Klasse? Wie sind Deine Lehrer?
Bis bald Deine Tanja

Schreib die E-Mail.
Setz ein: ✳✳✳ = möchte, möchtest   ♥♥♥ = gehen, kommen, schreiben

12 Antwort aus Frankfurt

Schreib Marias Antwort.

Liebe Tanja,

Frankfurt ist ...   Die Schule ist ...   Wir sind ... Mädchen und ... Jungen in der Klasse.
Herr/Frau ... unterrichtet ... Er/Sie ist ganz/sehr/ ...

Das kann ich schon:

Sätze und Wörter:

- **einen Stundenplan lesen:** Wir haben am ... in der ... Stunde ... – ... ist mein Lieblingsfach. – Was habt ihr heute?

- **einen Vorschlag machen:** Wir möchten heute Tennis spielen / ... Möchtest du mitspielen/ ...?

- **Unterrichtsfächer:** Deutsch, Englisch, Französisch, Latein, Mathematik, Informatik, Physik, Chemie, Geschichte, Erdkunde, Biologie, Sozialkunde/Politik, Religion/Ethik, Sport, Kunsterziehung, Musik, Textilarbeit

- **Wochentage:** Montag, Dienstag, Mittwoch, Donnerstag, Freitag, Samstag, Sonntag

- **Schulsachen:** Bleistift, Füller, Kuli, Spitzer, Radiergummi, Block, Taschenrechner, Malkasten, Pinsel, Atlas, Ordner, Heft, Buch, Lineal, Blatt (Papier), Mäppchen, Tasche, Schere, Tafel, Kreide, Landkarte, Farbstifte, Filzstifte, Sportsachen, Turnschuhe

GRAMMATIK

1. Verb

a) Singular *haben*

ich	habe
du	hast
er/es/sie	hat

b) Plural

	haben	machen	lesen	sprechen	rechnen	zeichnen	sein
wir	haben	machen	lesen	sprechen	rechnen	zeichnen	sind
ihr	habt	macht	lest	sprecht	rechnet	zeichnet	seid
sie	haben	machen	lesen	sprechen	rechnen	zeichnen	sind

c) Modalverb

ich	möchte	wir	möchten	
du	möchtest	ihr	möchtet	
er/es/sie	möchte	sie	möchten	

Ich	möchte	nach Hause	gehen.
Wir	möchten	Tennis	spielen.
	Modalverb	**+**	**Infinitiv**

2. Artikel

Maskulinum		Neutrum		Femininum		Plural	
ein	Füller	ein	Heft	eine	Tafel	—	Filzstifte
mein		mein		meine		meine	
dein		dein		deine		deine	
kein		kein		keine		keine	

Hier **ist** ein Füller.   Hier **sind** Filzstifte.

Hier **ist** kein Kuli.   Hier **sind** keine Farbstifte.

Freitag, der 13.

1 Verschlafen

a) Schau die vier Bilder an und hör zu.

A fünf nach elf

D zehn nach drei

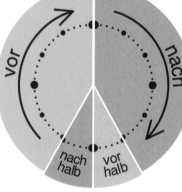

vor · nach

nach halb · vor halb

N Viertel nach zehn

F 20 nach sechs

R fünf vor halb acht

S halb zwei

M fünf nach halb eins

O 20 vor vier

E Viertel vor acht

H zehn vor sechs

T fünf vor zwölf

I acht Uhr

b) Schau die Bilder und Uhrzeiten an. Hör noch einmal zu. Was passt zusammen?

	1	2	3	4
Lösung: Heute ist	?	?	?	?	TAG

c) **Hör zu, zeig mit und sprich nach.**

d) **Hör zu und beantworte die Fragen.**

Um ...

L7/2

L7/3

2 Ratespiel: Früher oder später?

Ein Spieler zeichnet eine Uhr.
Die anderen raten.
Beispiel:

* Wie spät ist es?   ○ Halb drei.
▲ Ein Uhr.   * Später.
* Später.   ▲ 20 vor drei.
● Vier Uhr.   * Später.
* Früher.   ● Viertel vor drei.
❑ Drei Uhr.   * Richtig.
* Früher.

3 Tobias kommt zu spät.

* Guten Morgen.

▲ Ach, Tobias, du bist auch schon da.
   Guten Morgen!

* Guten Morgen. Entschuldigung.

▲ Du kommst zu spät.

* Tut mir leid.

▲ Es ist schon
   Der Unterricht beginnt um

* Ich weiß. Es tut mir leid, aber ...

▲ Wir schreiben heute eine Klassenarbeit.

* Ja, ich weiß, aber ...

▲ Na gut, schnell jetzt. Die anderen arbeiten schon.
   Um   ist Schluss.

* Nur noch 25 Minuten. O je!

Lies den Dialog mit den richtigen Uhrzeiten.
Dann hör zu. Alles richtig?
Zu schwer? Dann hör zuerst zu und lies dann.

L7/4

siebenundvierzig   **47**

4 Glück und Pech

a) Ordne zu.

Glück :

Pech :

 b) Welche Symbole für Glück und Pech gibt es bei euch?

5 Auch das noch!

L7/5

✻ Wo ist denn der Füller?
Wo ist denn nur der Füller?

▲ Was ist denn los?

✻ Mein Füller ist weg.

▲ Das gibt's doch nicht.

✻ Er ist aber weg!
Heute geht aber auch alles schief.

▲ Hier ist ein Füller.

✻ Ach ja, danke.

▲ Na, siehst du!

Und auch so:
- der Taschenrechner
- das Lineal
- die Schere
- die Filzstifte ⚠ Wo sind ...?

Hier/Da/Das ist ... Wo ist ...?			Hier/Da/Das sind ... Wo sind ...?
ein	ein	eine	————
mein	mein	meine	meine
dein	dein	deine	deine
|	|	|	|
der	das	die	die
|	|	|	|
Füller	Lineal	Tasche	Filzstifte
Taschenrechner	Heft	Schere	Sportsachen
|	|	|	|
er	es	sie	sie
Maskulinum	**Neutrum**	**Femininum**	**Plural**

6 Wo sind die Sachen?

a) Stellt Fragen.

Wo ist **der** Bleistift?
– In C 1.
Wo ist **das** Heft?
– In ...
Wo ist **die** Tasche?
Wo sind **die** Filzstifte?
Wo ist ✷ Buch?
Wo ist ✷ Schere?
Wo sind ✷ Farbstifte?
Wo ist ✷ Spitzer?
Wo ist ✷ Block?
Wo ist ✷ Kreide?
Wo ist ✷ Lineal?
Wo sind ✷ Turnschuhe?

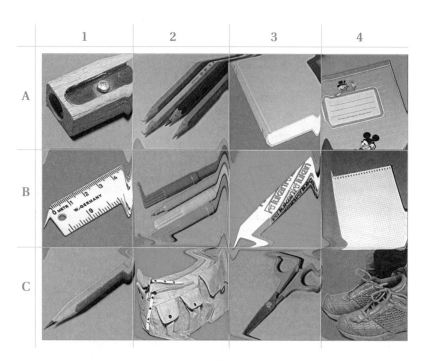

	1	2	3	4
A				
B				
C				

b) Und auch so:

Was ist in A 1? - Der Spitzer.

Schnell!

Tipp!

Wenn du die Nomen mit Farben markierst, kannst du das Genus besser behalten.

Maskulinum = blau
Neutrum = grün
Femininum = rot
(Plural = gelb)

7 Lauter Laute

a) Hör zu, lies mit und sprich nach.

die, wie, sie, hier, vier, Radiergummi, wie viele, Griechenland, Biologie, Chemie, sieben, spielen, Dienstag

L7/6

b) Du schreibst *ie*. Du sprichst langes [iː]. Lies laut. Hör zu. Richtig? Wiederhole.

Hier [iː]

Hier sind die Filzstifte. Die Schere, bitte. Hier bitte. Hier ist die Kreide. Ich spiele Gitarre. Wie findest du Chemie? Sie ist aus Griechenland. Wie heißt sie? Wie alt ist sie? Vierzehn. Auf Wiedersehen.

L7/7

c) Weißt du noch? Du schreibst *-er*. Du sprichst [ɐ]. Hör zu, lies mit und sprich nach.

Hier ist der Füller. Der Spitzer ist weg. Der Taschenrechner ist hier. Wer ist der Lehrer?

L7/8

So ein Pech!

1 Zwei Hotdogs, bitte!

A Hier ist der Kiosk. Was gibt es denn heute? Wurstbrote, Käsebrote, Brötchen, Brezeln, Hotdogs, Hamburger, Pizzas, Schokoriegel, Joghurt, sogar Obst: Äpfel, Birnen, Bananen und Orangen.

S Da kommt Steffi. Tobias mag sie. Er gibt Steffi den zweiten Hotdog. (e) Steffi isst gern Hotdogs. Sie lächelt. (f) Tobias wird ein bisschen rot.

U Was möchte Tobias? Er weiß es noch nicht. Ein Wurstbrot oder ein Käsebrot, oder vielleicht doch ein Brötchen? Ach nein, er nimmt zwei Hotdogs. (c) Fabian lacht. (d)

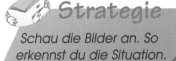
Strategie

Schau die Bilder an. So erkennst du die Situation.

P In der dritten Stunde haben die Schüler Mathe. Gleich ist Pause. Sie schreiben die Hausaufgabe auf. Tobias ist fertig. Er möchte schon gehen. Er möchte ein Pausenbrot kaufen. (a) Auch Fabian ist fertig. Herr Wegner lässt die zwei gehen. (b)

E Steffi beißt in den Hotdog. Auch Tobias beißt rein und ... das Ketchup kommt raus. Tobias ist jetzt sehr rot. Fabian lacht. Steffi lacht auch. Nur Tobias lacht nicht. (g) Was für ein Tag! Was passiert denn noch alles?

a) Ordne die Textteile.

1	2	3	4	5
P	?	?	?	?

Lösung: Jetzt ist

L8/1

b) Hör zu. Zeig auf Bild 2 mit und sprich nach.

c) Lies noch einmal die Geschichte und schau die Bilder an.
Wohin passen die Sprechblasentexte? Rechenrätsel

1 Zwei Hotdogs! Du hast aber Hunger!

6 Freitag, der 13.!

3 Danke, du bist nett.

4 Zwei Hotdogs, bitte.

7 Hier, Steffi, ein Hotdog für dich.

2 Ihr dürft schon gehen.

5 Herr Wegner, ich bin fertig. Darf ich gehen?

a +	b −	c +	d +	e −	f −	g

Lösung: ? + ? − ? + ? + ? − ? − ? = 2

d) Hör die ganze Geschichte mit den Sprechblasentexten und lies mit.
Ihr könnt die Szene auch spielen.

L8/2

ich	darf	wir dürfen		Darf	ich	gehen?
du	darfst	ihr dürft	Ihr	dürft	schon	gehen.
er/es/sie darf		sie dürfen		**dürfen**	**+**	**Infinitiv**

2 Lauter Laute

a) So sprichst du das *ü*.
Du machst die Lippen rund wie bei einem *u*, sprichst aber ein *i*.
Hör zu und sprich nach.

L8/3

b) Hör genau. Was ist falsch? 1, 2, 3, 4 oder 5?

L8/4

c) Lies laut. Hör zu. Richtig? Wiederhole.

L8/5

Mein Bruder Günter ist in Zürich. Günter ist Schüler.
Hier sind fünf Bücher, ein Spitzer, ein Kuli und ein Füller für Günter. Der Füller ist grün.
In der fünften Stunde haben die Schüler Erdkunde. Dürft ihr früher gehen? Die Schüler
dürfen früher gehen. Tschüs.

3 SMS schicken

3 XXX Du den Theaterkurs mitmachen?

6 Was? Ihr XXX das ganz allein machen? Super!

8 Kommst Du heute Abend mit ins Konzert?

2 Meine Schwester XXX nicht. Und ich XXX dann auch nicht.

4 Meine Eltern sind nicht da. Mein Bruder und ich XXX eine Party machen.

7 Nein, leider nicht. Am Dienstag bin ich immer bei Oma.

a) **Was passt zusammen? Die Lösungssumme ist immer 10.**

b) **Ergänze die Formen von *dürfen*.**

4 Mit dem Wörterkasten üben

a) **Schreib die Wörter aus Übung 1 auf Karten. Sortiere ein bei *Essen und Trinken*.**

b) **Übt in Gruppen mit fünf bis sechs Schülern.**

je eine Karte aus dem Wörterkasten ziehen – vorlesen

Karten verstecken und suchen

5 Wo ist denn nur der Aufsatz?

L8/6

* Den Aufsatz, bitte. Tobias!

▲ Moment! Wo ist denn nur der Aufsatz?
Auch das noch!

* Tobias, was ist denn jetzt?

▲ Tut mir leid. Ich habe den Aufsatz vergessen.

* Also, Tobias, so geht das nicht!
Du vergisst immer etwas. Das gibt eine Sechs ...
Wo habe ich denn das Notenbuch? Ich glaube, ich habe das Notenbuch vergessen.

▲ Tja, Frau Richter, heute ist Freitag, der 13.

Und auch so:
der/den Schreibblock   das/das Diktatheft   die/die Hausaufgabe   die/die Übungen

Nominativ	Akkusativ
Wo ist **der** Aufsatz?	Ich habe **den** Aufsatz vergessen.
Wo ist **das** Diktatheft?	Ich habe **das** Diktatheft vergessen.
Wo ist **die** Hausaufgabe?	Ich habe **die** Hausaufgabe vergessen.
Wo sind die Übungen?	Ich habe die Übungen vergessen.

Tipp!
Lern immer den
ganzen Satz, denn
der Artikel hängt
vom Verb ab.

6 Kartenspiel: Quartett

Macht Spielkarten.

Immer vier Karten
sind ein Quartett.
Sie bekommen das
gleiche Zeichen.

Spielt in Gruppen.
Jeder Spieler bekommt gleich viele Karten.

einen Mitspieler fragen und Quartette sammeln

Wer hat am Schluss die meisten Quartette?

Lektion 8

 L8/7

7 Eine Verwechslung

✳ Nehmt bitte den Ordner heraus! Tobias?
▲ Ja, bitte?
✳ Nimm den Ordner heraus!
▲ Ach so, ja.
✳ Komm mal her.
▲ Ich? O je!
✳ Gib mir bitte mal den Ordner.
▲ Hier, bitte!
✳ Das ist der Atlas!
▲ Oh, Entschuldigung. Ich habe da etwas verwechselt.
✳ Verwechselt! Na ja!

▲ Ha, ha! He, he!
✳ Tobias! Was ist denn? Sei bitte ruhig!
▲ Hihi, die Schuhe! Die Schuhe sind ja ...
✳ Wie bitte? Meine Schuhe? O je! Ich habe da etwas verwechselt! Na ja, Freitag, der 13.!

Und auch so:
das Heft – der Block
die Hausaufgabe – das Physikheft

ich	gebe	nehme		d̶u̶ gibst	Gib!		i̶h̶r̶ gebt	Gebt!
du	gibst	nimmst (heraus)		d̶u̶ nimmst	Nimm!		i̶h̶r̶ nehmt	Nehmt!
er/es/sie	gibt	nimmt		d̶u̶ liest	Lies!		i̶h̶r̶ lest	Lest!
				d̶u̶ kommst	Komm!		i̶h̶r̶ kommt	Kommt!
wir	geben	nehmen						
ihr	gebt	nehmt		du bist	Sei!		ihr seid	Seid!
sie	geben	nehmen						

8 Wer sagt das?

a) Ordne die Sätze den Lehrern zu.

1 der Deutschlehrer
2 der Englischlehrer
3 die Erdkundelehrerin
4 der Informatiklehrer

C Nehmt bitte mal den Atlas heraus!
U Lernt bitte die Vokabeln!
B Lest mal den Text!
H Macht den Computer aus!

| 1 | 2 | 3 | 4 |

Lösung: Nehmt das B ? ? ? heraus.

b) Das sagen die Lehrer zu Tobias. Schreib auf! Tobias, lern ...!

9 Das Schwarze Brett

a) Lies die Aussagen und die Zettel. Was passt zusammen? Rechenrätsel

2 Schade, das geht nicht. Wir fahren ja am zweiten April zu Oma.

3 Der neunzehnte Erste? Das ist doch Marios Geburtstag. Und er macht eine Party. Mist!

1 Am zwanzigsten Januar? Da kommt ja meine Tante. Und ich bin früher zu Hause. Super!

4 Da gehe ich hin. Am dritten Februar habe ich noch nichts vor.

5 Was ist denn am siebten Zweiten? Ach richtig! Basketballturnier. Schade!

54 *vierundfünfzig*

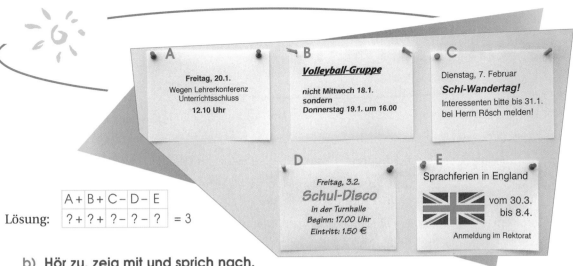

A

Freitag, 20.1.
Wegen Lehrerkonferenz
Unterrichtsschluss
12.10 Uhr

B

Volleyball-Gruppe

nicht Mittwoch 18.1.
sondern
Donnerstag 19.1. um 16.00

C

Dienstag, 7. Februar
Schi-Wandertag!
Interessenten bitte bis 31.1.
bei Herrn Rösch melden!

D

Freitag, 3.2.
Schul-Disco
in der Turnhalle
Beginn: 17.00 Uhr
Eintritt: 1.50 €

E

Sprachferien in England

 vom 30.3.
bis 8.4.

Anmeldung im Rektorat

A +	B +	C –	D –	E

Lösung: $? + ? + ? - ? - ? = 3$

b) Hör zu, zeig mit und sprich nach.

 L8/8

Datum:

Tag		Monat		Jahr
der	1. erste	Erste	Januar	2005
	2. zweite	Zweite	Februar	zweitausendfünf
	3. dritte	Dritte	März	
	4. vierte	Vierte	April	
	5. fünfte	Fünfte	Mai	1998
	6. sechste	Sechste	Juni	neunzehnhundert-
	7. siebte	Siebte	Juli	achtundneunzig
	8. achte	Achte	August	
	9. neunte	Neunte	September	
	10. zehnte	Zehnte	Oktober	
	...	Elfte	November	
	19. neunzehnte	Zwölfte	Dezember	
	20. zwanzigste			
	30. dreißigste			
	31. einunddreißigste			

Heute ist der 13.1.   Heute ist **der** dreizehn**te** Erste.   = der dreizehnte Januar
Was ist am 7.2.?   Was ist **am** siebt**en** Zweit**en**?   = am siebten Februar

10 Eine Durchsage

Hör zu und beantworte die Fragen.

1 Was für ein Tag ist heute?
2 Was ist an der Durchsage falsch?
3 Wann gehen die Schüler nach Hause?
4 Warum ist Freitag, der 13. gar nicht
   so schlecht?

11 Ein Gedicht

Schreib weiter.

 L8/9

Heute geht alles schief!
Der Füller geht nicht.
Der Kuli ist weg.
...

Heute geht alles schief.
Ich habe den Block vergessen.
Ich habe den Pinsel vergessen.
...

Heute geht alles schief.
Ich habe eine Sechs in ...
Ich darf nicht ins Konzert.
Ich darf nicht fernsehen.
...

Heute ist Freitag, der 13.

Das kann ich schon:

Sätze und Wörter:

- sich entschuldigen: Entschuldigung. – Tut mir leid. – Es tut mir leid. – Ich weiß, aber ...

- die Uhrzeit: Es ist acht (Uhr) – zehn nach acht – Viertel nach acht – fünf vor halb neun – halb neun – fünf nach halb neun – zwanzig vor neun – Viertel vor neun

- die Monate: Januar, Februar, März, April, Mai, Juni, Juli, August, September, Oktober, November, Dezember

- was man in der Pause isst und trinkt: Hotdog – Hamburger – Schokoriegel – Joghurt – Brötchen – Käsebrot – Wurstbrot – Brezel – Pizza – Obst: Apfel – Birne – Banane – Orange

GRAMMATIK

1. Nominativ und Akkusativ

Nominativ				Akkusativ			
Maskulinum	Neutrum	Femininum	Plural	Maskulinum	Neutrum	Femininum	Plural
der Füller	das Heft	die Schere	die Stifte	den Füller	das Heft	die Schere	die Stifte
Wo ist der Füller?				Ich habe den Füller vergessen.			

2. Verb

a) Modalverb *dürfen*

ich	darf	wir	dürfen
du	darfst	ihr	dürft
er/es/sie	darf	sie	dürfen

Darf ich gehen?

Ihr dürft schon gehen.

Modalverb + Infinitiv

b) Verben mit Vokalwechsel

	geben	nehmen	lesen	vergessen	essen
ich	gebe	nehme	lese	vergesse	esse
du	gibst	nimmst	liest	vergisst	isst
er/es/sie	gibt	nimmt	liest	vergisst	isst
wir	geben	nehmen	lesen	vergessen	essen
ihr	gebt	nehmt	lest	vergesst	esst
sie	geben	nehmen	lesen	vergessen	essen

c) Imperativ

Singular		Plural	
~~du~~ ~~gibst~~	Gib!	~~ihr~~ gebt	Gebt!
	Sei!		Seid!

3. Datum

Heute ist der 20.1.20..   – Heute ist der zwanzigste Erste/Januar zweitausend...

Eva ist am 11.5.19.. geboren. – Eva ist am elften Fünften/Mai neunzehnhundert... geboren.

1 Lesen

Zeugnisse!

Es ist Januar. Nur noch einige Tage. Dann gibt es Zeugnisse. Die Schüler des Wilhelm-Hauff-Gymnasiums sind schon ein wenig unruhig. Welche Noten gibt es wohl?

Tobias

Tobias überlegt: Also, in Französisch habe ich in den Klassenarbeiten eine Drei, eine Vier und noch eine Drei. Das geht. Aber in Mathe und Physik? O je! Und in Deutsch? Einmal habe ich den Aufsatz vergessen. Das ist doch nicht so schlimm. Oder? Zum Glück gibt es Sport und Englisch. Da bin ich wirklich gut.

Maria

Auch Maria macht sich Gedanken: Es geht eigentlich ganz gut in der neuen Schule. Geschichte finde ich sehr interessant. Da bekomme ich sicher eine Zwei oder vielleicht sogar eine Eins. In Deutsch und Englisch bin ich auch ganz gut. Aber in Mathe! Herr Wegner ist ja nett. Trotzdem! Geometrie ist einfach nicht mein Ding. Französisch geht, und Kunst ist natürlich super.

Heiner

Das denkt Heiner: Bald gibt es Zeugnisse. Au weia! Ich glaube, mein Zeugnis sieht nicht so gut aus. Na ja, in Sport bekomme ich sicher eine gute Note. Aber die anderen Fächer! Französisch wird bestimmt ziemlich schlecht. In Mathe und Physik bin ich auch nicht besonders gut. In Englisch habe ich einmal eine Fünf, dann eine Vier und sogar einmal eine Zwei. Immerhin! Mal sehen.

a) In Deutschland gibt es sechs Noten:

1 = sehr gut   4 = ausreichend = Es geht gerade noch.
2 = gut   5 = mangelhaft = schlecht
3 = befriedigend = Es geht.   6 = ungenügend = sehr schlecht

Lies die Texte und mach so eine Tabelle.

	Tobias	Maria	Heiner
Englisch	2		
Deutsch			
Französisch			
Mathe			
Geschichte			
Sport			
Kunst			

WILHELM - HAUFF - GYMNASIUM

ZEUGNIS

Deutsch ...2   Geschichte..2
Englisch...2   Erdkunde..4
Französisch..3   Biologie...3
Mathe 4   Religion...2
Physik 3   Sport 2
Informatik..2   Musik 2
             Kunst......1

Strategie

Vergleiche Texte mit ähnlichem Inhalt. Das macht das Verstehen leichter.

b) Lies noch einmal die Texte und dann das Zeugnis. Ist das Zeugnis von Tobias, Maria oder Heiner?

c) Wie sind die Noten bei euch? Wie sieht dein Zeugnis in Deutschland aus?

2 Landeskunde

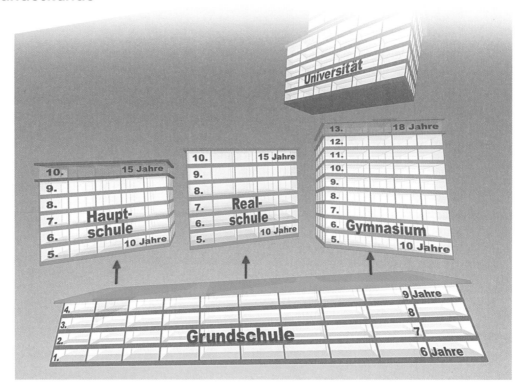

a) Schau das Schaubild an und mach die Sätze fertig.

In Deutschland kommen die Kinder in die Schule, wenn sie ✹✹ ✹ Jahre alt sind.
Die Grundschule dauert ✹✹ ✹ Jahre. Dann gehen die Kinder in die ✹✹ ✹ , die
✹✹ ✹ oder ins ✹✹ ✹ .
Das Gymnasium dauert ✹✹ ✹ oder ✹✹ ✹ Jahre. Dann machen die Schüler Abitur.

b) Wie ist das bei euch? Was für Schulen gibt es bei euch?
In welche Schule gehst du? Wie lange geht ihr in die Grundschule?

1	2	3	4

c) Was passt zusammen? Ordne die Sätze den Bildern zu.

A Heute ist der erste Schultag.
B Die Schüler besuchen den Grundkurs Chemie.
C Die Klasse hat Wandertag.
D Alle machen Textilarbeit, auch die Jungen.

1	2	3	4
?	?	?	?

3 Gemeinschaftsarbeit – Klassenzeitschrift

So kann die Klassenzeitschrift aussehen.

a) Sammelt die schönsten „Freitag, der 13.“- Gedichte.

b) Schreibt einen Wunschstundenplan:

	Montag	Dienstag	Mittwoch	Donnerstag
1.	Sport	Basketball	Kunst	
2.	Computer			

c) Macht neue Liedstrophen zum Poptop-Hit „Hallo, hallo, hallo“.

Hanna, Hanna, ...
Wie findest du denn Schule?
Wie findest du Mathe/.../.../...?
Ich finde ... toll.
Wirklich? Ehrlich?
Das ist mein Lieblingsfach.
Hanna, ich glaube, ...

Hanna, ...
Was isst du in der Pause?
Ich esse ...
Das esse ich auch gern.

d) Zeichnet Schul-Comics. Macht ein Titelblatt und klammert alles zusammen.

4 Lernen

4.1 Wörterkasten

Nimm die Karten zum Thema *Schule* und *Essen und Trinken* und ergänze den Plural.
Mach auch gelbe Punkte dazu. So geht der Plural:

–e Bleistift – Bleistifte; **ebenso:** Heft, Lineal, Farbstift, Filzstift, Käsebrot, Wurstbrot
– Füller – Füller; **ebenso:** Spitzer, Taschenrechner, Ordner, Pinsel, Mäppchen, Schokoriegel
–s Kuli – Kulis; **ebenso:** Radiergummi, Hotdog, Pizza
–n Tasche – Taschen; **ebenso:** Schere, Tafel, Kreide, Landkarte, Brezel, Birne, Banane, Orange
–̈e Block – Blöcke; **ebenso:** Rucksack
–̈er Buch – Bücher; **ebenso:** Blatt
–̈ Malkasten – Malkästen; **ebenso:** Apfel ⚠ Atlas - Atlanten

Tipp!
Lern Nomen immer mit dem Plural.

4.2 Sprachheft

Mach eine neue Seite *Wie spät ist es?*
Schreib die Uhrzeiten und zeichne die Uhren dazu.
fünf nach ... – Viertel nach ... – fünf vor ... – halb ... – ... (Uhr)
Schreib auch Fragen und Antworten auf: Wie spät ist es? – (Es ist) ...
　　　　　　　　　　　　　　　　　　Wann ist Schule? – Um acht (Uhr).

Ergänze die Seite *Wünsche äußern*.
Schreib Sätze: Ich möchte nach Hause gehen. Möchtest du mitkommen?

Zum Schluss

 4.3 Gruppengespräch

Schule
Klasse

Schule
Unterrichts-
fächer

Schule
Lehrer

a) **Macht Gruppen. Schreibt Karten zum Thema *Schule*. Legt die Karten verdeckt auf den Tisch.**

Karte ziehen,
fragen und antworten

In welche Klasse gehst du?

In die siebte.

b) **Zeichnet auch Karten mit Schulsachen.**

Macht ein ? dazu =
eine Frage stellen.

Macht ein ! dazu =
eine Bitte/Aufforderung sagen.

Karte ziehen, Bitte/Aufforderung
sagen, reagieren

Gib mir bitte
den Füller!

Hier bitte.

5 Wiederholung

E-Mail: Wer schreibt mir?

Nachricht
Senden Speichern 📖 ✏ ABC 📎 Datei einfügen... 🕐 Priorität ▾ Optionen...
ⓘ Diese Nachricht wurde noch nicht gesendet.

Hallo, ich bin Maria Papamastorakis. ✳✳✳ (a) Vater kommt ✳✳✳ (b) Griechenland. ✳✳✳ (c) Großeltern wohnen ✳✳✳ (d) Griechenland. Ich ✳✳✳ (e) natürlich Deutsch, aber auch Griechisch. Das ist gut, denn wir fahren in den Ferien oft nach ✳✳✳ (f). Meine Freundin Tanja ✳✳✳ (g) manchmal mit. ✳✳✳ (h) wohnt in Stuttgart. Ich ✳✳✳ (i) jetzt in Frankfurt. Schade! Na ja, ich ✳✳✳ (j) meine neue Klasse ganz nett. Ich habe schon zwei Freundinnen. Sie ✳✳✳ (k) Sonja und Steffi. Auch zwei Jungen, Tobias und Heiner, ✳✳✳ (l) sehr nett. ✳✳✳ (m) 17. März habe ich Geburtstag. Ich ✳✳✳ (n) sicher eine Party machen. Dann ✳✳✳ (o) meine Freunde aus Stuttgart und Frankfurt. Bis bald Maria

Ergänze. Probier's zuerst allein. Dann kontrolliere mit den Wörtern und dem Rechenrätsel.

1 kommen	4 wohne	7 spreche	10 Meine	13 in
2 kommt	5 sind	8 darf	11 Griechenland	14 Am
3 finde	6 heißen	9 Mein	12 aus	15 Sie

a +	b +	c −	d −	e +	f −	g +	h −	i −	j −	k −	l −	m +	n −	o
? +	? +	? −	? −	? +	? −	? +	? −	? −	? −	? +	? −	? +	? −	?

Lösung: = 20

Kommst Du mit in den Zoo?

Freizeit

Das lernst du:

- sagen, was man gern macht
- eine Person beschreiben
- einen Vorschlag machen oder eine Verabredung treffen
- einen Vorschlag annehmen oder ablehnen
- nach dem Grund fragen und etwas begründen
- einen Preis erfragen und angeben
- was man beim Einkaufen sagt
- etwas über Hobbys
- wohin man in der Freizeit gehen kann
- etwas über Sachen für die Freizeit
- etwas über Kleidung

Sechs Freunde

1 Unsere Hobbys

Was passt zusammen?

Jakob

Anne

Dejan

Lena

Tim

Meike

O Morgen läuft hier „Titanic" mit Leonardo di Caprio. Den Film möchte ich noch mal sehen.

B Nach der Schule setze ich mich gleich an den Computer. Computern macht einfach Spaß.

Y Ich mache viel Sport, Tennis, Laufen, Surfen, Judo, Karate, Fußball, alles. Aber am liebsten spiele ich Basketball.

B Mein Hobby ist Gitarre-spielen. Meine Gitarre ist überall dabei.

H Ich spiele gern Schach, am liebsten mit Papa, aber auch allein am Computer.

S Am Nachmittag treffe ich mich oft mit Lena. Dann gehen wir in die Stadt. Wir gehen spazieren oder shoppen ein bisschen.

Lösung:　Meine

1	2	3	4	5	6
?	?	?	?	?	?

2 Was machst du in der Freizeit?

 schlafen

 fotografieren

 lesen

 schwimmen

 Musik hören

 telefonieren

 Skateboard fahren

 Freunde treffen

 Snowboard fahren

 Autogramm-karten sammeln

 Schlagzeug spielen

 Schlittschuh laufen

 tanzen

 fernsehen

 surfen

 Rad fahren

 reiten

 singen

 Schi fahren

a) **Schau die sechs Freunde an. Hör zu. Achte auf die Geräusche. Such die Hobbys auf den Bildern.**

Strategie

Achte auf die Geräusche. Sie helfen dir beim Verstehen.

b) **Hör zu, zeig mit und sprich nach.**

c) **Hör die Aussagen noch einmal. Wer spricht? Was für Hobbys hat er/sie?**

d) **Was für Hobbys macht ihr? Was ist gerade aktuell? Sprecht darüber.**

3 Jahreszeiten

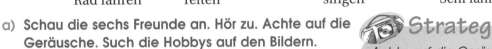

 im Frühling

 im Sommer

 im Herbst

 im Winter

a) **Wann machst du das? Hör zu und beantworte die Fragen.**

b) **Frag deinen Partner: Was machst du im Sommer/... ?**

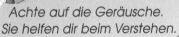

4 Pantomime-Raten

Ein Spieler stellt ein Hobby dar.
Die anderen raten.

5 Lauter Laute

a) Hör zu und sprich genau nach.

b) Hör zu. Was ist falsch? 1, 2, 3, 4 oder 5?

c) Hör zu und sprich die Laute genau nach.

d) Lies laut. Dann hör zu. Richtig? Wiederhole.
Vater, Banane, schlafen, fahren, Jahre
Lehrer, gehen, zehn, fernsehen, lesen
spielen, Kino, telefonieren, Berlin, sieben
fotografieren, doof, Foto, Oma, Opa
Musik, du, Bruder, Computer, Schlittschuh

6 Was machst du gern?

a) Sammelt Hobbys an der Tafel.

b) Frag deinen Partner. Beispiel:

✳ Machst du gern Sport?

● Ja, sehr gern.   ● Nein, ich höre lieber Musik.

✳ Was machst du lieber? Fernsehen oder computern?
● Fernsehen.

✳ Was machst du am liebsten?
● Am liebsten schwimmen, aber auch
lesen und reiten.

7 Interviewspiel

Nummern vor die Hobbys
an der Tafel schreiben.

durch die Klasse gehen und sechs Mitschüler fragen

Namen und Nummern aufschreiben

Zum Schluss vorlesen:

> Utes Lieblingshobby ist Lesen.
> Jans Lieblingshobby ist Fernsehen.

Ute hat ein Hobby: Lesen.	Ute**s** Hobby ist Lesen.
Jan hat ein Hobby: Fernsehen.	Jan**s** Hobby ist Fernsehen.

8 Wer macht was?

Wer hat was für ein Hobby? Schreib auf.
Du hast nur drei Minuten Zeit. Wer schreibt die meisten Sätze?

Mirkos Hobby ist Schachspielen.   Utes Hobby ist ...

Tipp!

Fasse Wörter unter einem Thema zusammen. Dann kannst du sie besser behalten.
Beispiel: Hobbys

9 Das Sprachheft

a) **Schreib neue Seiten in deinem Sprachheft.**

Hobbys

Mein Lieblingshobby:
Das mache ich auch gern:
Andere Hobbys:

etwas gern machen

Ich ... gern.
... du gern? Nein, ich ... lieber.
Ich ... am liebsten.
... ist mein Lieblingshobby.

b) **Übe mit dem Sprachheft.**

Was ist mein Hobby?

Was mache ich am liebsten?

Augen zu und auf ein Hobby tippen

Frage stellen

raten

10 So oder so

L9/8

a) Schau die Bilder an. Hör zu und lies mit.

L9/9

b) Hör zu, zeig mit und sprich nach.

		Anne	Meike	Lena	Tim	Dejan	Jakob
1	sportlich						
2	unsportlich						
3	dick						
4	schlank						
5	groß						
6	klein						
7	intelligent						
8	doof						
9	hübsch						
10	stark						
11	nett						

11 Wie sind die Freunde?

L9/10

a) Mach eine Liste wie oben. Hör das Interview. Mach Kreuzchen.

b) Schau auf deine Liste und mach Sätze: Tim ist sportlich. Meike ist ...

c) Hör das Interview noch einmal. Ordne die Antworten zu.

 1 Was ist Lenas Hobby?   K Ja, sehr gut.
 2 Wie lange macht sie das schon?   D Gitarrespielen.   Lösung:
 3 Wie oft spielt sie?   I Ich weiß nicht.
 4 Kann sie schon gut Gitarre spielen? C Jeden Tag. Und sie hat einmal
                                       die Woche Gitarrenstunde.

1	2	3	4
?	?	?	?

d) Was machen die anderen Freunde? Stellt Fragen und antwortet.

e) Wer sagt das?

Tim kann alles so gut.

Ich kann noch nicht so gut reiten.

Könnt ihr denn schon zusammen spielen?

Du kannst sicher gut Gitarre spielen.

Wir können schon richtig gut zusammen spielen.

Ich kann ganz gut Schach spielen.

ich	kann	wir	können	Ich kann gut reiten.
du	kannst	ihr	könnt	
er/es/sie	kann	sie	können	**können + Infinitiv**

12 Wie gut kennst du deine Mitschüler?

Er kann gut Fußball spielen. Wer ist das?

allein schreiben   oder   zu zweit schreiben   Zettel einsammeln und vorlesen

13 Schülerzeitung „Planet"

Schreib einen Artikel über einen Freund / eine Freundin mit einem interessanten Hobby oder über Freunde oder Mitschüler, die zusammen ein Hobby haben.

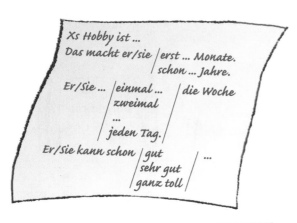

Xs Hobby ist ...
Das macht er/sie | erst ... Monate.
                 | schon ... Jahre.
Er/Sie ... | einmal ... | die Woche
           | zweimal
           | ...
           | jeden Tag.
Er/Sie kann schon | gut | ...
                  | sehr gut |
                  | ganz toll |

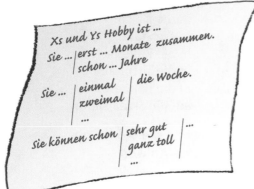

Xs und Ys Hobby ist ...
sie ... | erst ... Monate zusammen.
        | schon ... Jahre
sie ... | einmal | die Woche.
        | zweimal
        | ...
sie können schon | sehr gut | ...
                 | ganz toll |
                 | ... |

Planet
Leute und Hobbys

Was machen wir heute?

1 Verabredungen

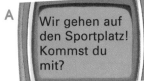

A Wir gehen auf den Sportplatz! Kommst du mit?

B Ich möchte in den Zoo gehen. Hast du Lust?

C Gehst du heute mit ins Schwimmbad?

D Ich gehe morgen in die Reithalle. Und du?

a) Schau die Bilder an und lies die SMS-Nachrichten.
Was passt zusammen? Rechenrätsel

Lösung:

A	−B	+C	+D
?	−?	+?	+?	= 11

b) Lies die SMS-Nachrichten oben und
die Antworten unten. Ordne zu.

a Nein, ich schwimme nicht so gern.

p Ja, klar. Ich mag Tiere.

s Du weißt doch, ich bin nicht so sportlich.

ß Ich komme mit. Ich reite gern.

Lösung:
Das macht

A	B	C	D
?	?	?	?

c) Hör zu, lies mit und sprich nach.

L10/1

Wir gehen	in den Zoo	ins Kino	in die Disco
	in den Zirkus	ins Rockkonzert	in die Stadt
	in den Park	ins Eiscafé	in die Ballettschule
	auf den Tennisplatz	ins Fast-Food	in die Turnhalle
	auf den Sportplatz	ins Schwimmbad	in die Reithalle
		ins Stadion	auf die Skaterbahn

d) Schreib deinem Partner eine Nachricht wie oben. Verwende die Wörter aus
Aufgabe c). Tauscht die Nachrichten aus und schreibt eine Antwort.

Lektion **10**

Wohin gehen wir?

in den	Zoo	ins	Kino	in die	Schülerdisco
	Zirkus		Rockkonzert		Stadt
	Park		Eiscafé		Ballettschule
auf den	Sportplatz		Fast-Food		Turnhalle
	Tennisplatz		Schwimmbad		Reithalle
			Stadion		
				auf die	Skaterbahn

2 Wohin geht ihr denn?

L10/2

✳ Hallo, Meike.
● Hallo. Wohin geht ihr denn?
✳ Ins Kino. Kommst du mit?
● Nein. Ich kann leider nicht mitkommen.
✳ Schade!

Und auch so:

Auf den Tennisplatz	mitspielen	→ Spielst du mit?
Ins Eiscafé	mitgehen	→ Gehst du mit?
Auf die Skaterbahn	mitmachen	→ Machst du mit?

mit|kommen — Ich kann nicht mit|kommen. — Ich komme nicht mit.

hin|gehen — Ich möchte nicht hin|gehen. — Ich gehe nicht hin.

3 Hab dich nicht so!

L10/3

▲ Wir gehen ins Stadion. Kommst du mit?
✳ Nein, ich möchte jetzt nicht mitkommen.
  Ich sitze gerade am Computer.
● Los, schalte den Computer ab und komm mit!
✳ Nein, das ist gerade so interessant.
● Dann schalte ich eben den Computer ab. So!
✳ Bist du verrückt? Du kannst doch nicht
  einfach den Computer abschalten!
● Nun hab dich nicht so!

Und auch so:

in den Zoo	→ mitgehen	→ gerade fernsehen (sehe fern!)	→ den Fernseher ausmachen
auf den Sportplatz	→ mitspielen	→ ein Buch lesen	→ das Buch zumachen

4 Was machst du am Samstag?

Strategie

Lies die Fragen vor dem zweiten Hören. So kannst du die Informationen im Text leichter verstehen.

a) Du hörst drei kleine Szenen. Wer spricht? Schreib auf.

Szene 1: ✳✳✳ Szene 2: ✳✳✳ Szene 3: ✳✳✳

b) Lies die Fragen. Hör eine Szene nach der anderen. Ordne Fragen und Antworten zu.

1 Warum kommt Meike mit?
2 Warum darf Anne nicht ins Kino gehen?
3 Warum fährt Dejans Familie nach Hannover?
4 Warum darf Dejan auf die Computer-Messe gehen?

A Sie hat eine Sechs in Latein.
B Er hat eine Eins in Mathe.
C Tim spielt mit.
D Sie gehen auf die Computer-Messe.

1	2	3	4
?	?	?	?

Lösung:

c) Hör noch einmal zu und schreib auf.

Am Samstag ist ...   Es läuft ein Film ...
Um halb vier ...   In Hannover ...

5 Wer kommt mit?

▲ Hallo, Lena, hier ist Jakob.
● Hallo, Jakob.
▲ Du, Lena, hast du am Samstag Zeit?
● Wann denn?
▲ Um drei Uhr.
● Warum? Was ist denn da los?
▲ Am Samstag ist die Schachmeisterschaft. Und ich spiele mit.
● Aha!
▲ Kommst du?
● Ehrlich gesagt, ich finde Schach langweilig.
▲ Ach so! Schade.

a) Jakob fragt auch die anderen Freunde. Wer sagt das? Zu schwer? Dann hör noch einmal die Szenen aus Übung 4.

Ich möchte schon. Aber ich darf nicht. Ich habe eine Sechs in Latein.

Tut mir leid. Ich kann nicht kommen. Wir fahren nach Hannover.

Tut mir leid. Ich kann nicht. Ich gehe in die Turnhalle. Tim spielt da Basketball.

Tut mir leid. Ich habe keine Zeit. Am Samstag ist Basketball.

b) Mach weitere Telefongespräche mit den Aussagen. Ergänze die Namen.

Ich kann gut
Schach spielen.

|

(1) können

Hier: in etwas gut sein

Tim kann (nicht) kommen.
Er hat (keine) Zeit.

|

(2) können

Hier: etwas geht (nicht)

Anne darf (nicht) hingehen.
Sie hat eine Zwei (eine Sechs) in Latein.

|

dürfen

Die Mutter sagt ja (oder nein)

6 E-Mail

Ersetze die Fehler.

kann (1)   (D)
können   (A)
möchte   (G)
darf   (E)
kann (2)   (R)

Lösung:
Die Tante heißt

a	b	c	d	e
?	?	?	?	?

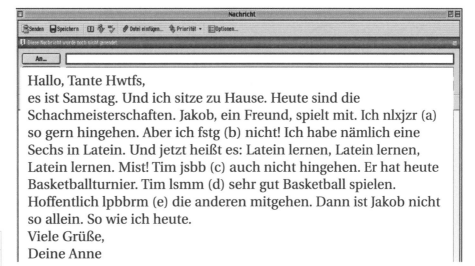

Hallo, Tante Hwtfs,

es ist Samstag. Und ich sitze zu Hause. Heute sind die Schachmeisterschaften. Jakob, ein Freund, spielt mit. Ich nlxjzr (a) so gern hingehen. Aber ich fstg (b) nicht! Ich habe nämlich eine Sechs in Latein. Und jetzt heißt es: Latein lernen, Latein lernen, Latein lernen. Mist! Tim jsbb (c) auch nicht hingehen. Er hat heute Basketballturnier. Tim lsmm (d) sehr gut Basketball spielen. Hoffentlich lpbbrm (e) die anderen mitgehen. Dann ist Jakob nicht so allein. So wie ich heute.

Viele Grüße,
Deine Anne

7 Der Veranstaltungs-kalender

UNDER 18

DER VERANSTALTUNGSKALENDER

Keine 18, kein Geld und keine Ahnung, was läuft? Dir kann geholfen werden. Wir haben uns für dich in München umgehört, damit du weißt, was abgeht …

5. Dezember   Basketball um Mitternacht in Moosach
Jeden Freitag von 22.00 bis 24.00 könnt ihr (ab 14 Jahre) in der Turnhalle in der Dieselschule Körbe werfen.   [zum Event ▼]

6. Dezember   Hip-Hop Tanzshop
In der Jugendkulturwerkstatt Soundcafé könnt ihr tanzen wie im Video-Clip   [zum Event ▼]

9. Dezember   Drummer(in) werden?
Jeden Dienstag kannst du im Prisma Haidhausen Schlagzeug-Unterricht nehmen.   [zum Event ▼]

10. Dezember   Kickbox-Training
Jeden Mittwoch und Freitag können sich Jungen und Mädchen zwischen 14 und 18 Jahren sportlich austoben.   [zum Event ▼]

a) **Stell Fragen zur Internet-seite.**
   Was?
   Wann?
   Wo?

b) **Dein Freund / deine Freundin lädt dich zu einer Veranstaltung ein.
   Du möchtest mitkommen oder du kannst/darfst/möchtest nicht mitkommen.
   Macht das Telefongespräch.**

8 Gruppengespräch

Karten zum Thema „Freizeit" schreiben

Karte ziehen

fragen und antworten

Beispiel „Hobby":
- ● Was sind deine Hobbys?
- ▲ Schlagzeugspielen und Lesen.
- ● Warum spielst du Schlagzeug?
- ▲ Das macht Spaß.

Beispiel „Zeit":
- ● Wie lange spielst du schon Schlagzeug?
- ▲ Sechs Monate.
- ● Wie oft spielst du?
- ▲ Jeden Tag.

Beispiel „Ort":
- ● Wohin gehst du?
- ✳ In den Zoo.
- ● Gehst du oft in den Zoo?
- ✳ Nein, nicht sehr oft.

Beispiel: „Verabredung":
- ● Wir gehen am Freitag ins Kino.
- ▲ Wann denn?
- ● Um halb vier.
- ▲ Schade, da habe ich keine Zeit.

oder
- ● Was machen wir am Sonntag?
- ▲ Wir können doch Schlittschuh laufen.
- ● Gute Idee. Und wann?
- ▲ Um drei.

9 Der Sieger

Mach Notizen zu den wichtigsten Informationen.

Was passiert?
Schachturnier

Wann?

Wo?

Wer ist Sieger?

Überraschungssieger im Schachturnier

Das alljährliche Turnier des Schachclubs „Schwarz - Weiß" fand am 10. Februar in der Jahn-Turnhalle in Celle statt. Die Teilnehmerzahl übertraf alle Erwartungen. Mehr als dreißig Spieler nahmen an der Konkurrenz teil. Das Turnier endete mit einer Überraschung.

Der Sieger ist ein vierzehnjähriger Schüler aus Celle. Er heißt Jakob Beck. In dem gut besetzten Feld konnte er sich gegen so bekannte Spieler wie Ivan Dostal durchsetzen. *Wir gratulieren!*

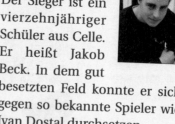

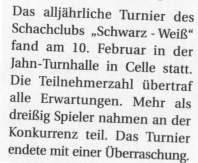

Strategie

Du kannst Informationen aus einem Text leichter verstehen, wenn du Fragen stellst.

Das kann ich schon:

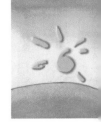

Sätze und Wörter:

- sagen, was man gern macht:
  gern – lieber – am liebsten
  Singst du gern? – Nein, ich tanze lieber. / Was machst du gern? –
  Am liebsten tanzen. Tanzen ist mein Lieblingshobby.

- eine Person beschreiben:
  Er/Sie ist sportlich/unsportlich/dick/schlank/groß/klein/intelligent/
  doof/hübsch/stark/nett. – Er/Sie kann ...

- einen Vorschlag machen oder
  eine Verabredung treffen:
  Wir gehen ... – Kommst du / Kommt ihr mit? / Ich möchte /
  Wir möchten ... Hast du / Habt ihr Lust? / Wir können ... –
  Wann denn? – Am ... / Um ...

- annehmen oder ablehnen:
  Ja, gern. – Ich komme mit. – Ich kann leider nicht. – Tut mir leid.
  Ich habe keine Zeit/Lust. – Ich darf nicht. – Ich möchte (jetzt) nicht.
  – Ich ... nicht so gern.

- nach dem Grund fragen und
  etwas begründen:
  Warum darfst/gehst/kannst/... du nicht ...? –
  Ich darf/gehe/kann/... nicht ...

- Hobbys:
  Schach/Gitarre/Schlagzeug/Basketball/... spielen, reiten, schwimmen,
  computern, spazieren gehen, fotografieren, telefonieren, tanzen,
  fernsehen, singen, Freunde treffen, Skateboard/Snowboard/
  Schi/Rad fahren, Karate/Judo machen, Schlittschuh laufen

- Freizeitorte:
  Zoo, Zirkus, Park, Sportplatz, Tennisplatz, Kino, Eiscafé, Fast-Food,
  Schwimmbad, Stadion, Disco, Stadt, Ballettschule, Turnhalle,
  Reithalle, Skaterbahn

GRAMMATIK

1. Verb

a) Modalverb *können*

ich	kann	wir können
du	kannst	ihr könnt
er/es/sie	kann	sie können

Tim | kann | gut | surfen.
Ich | kann | nicht | kommen. Ich habe keine Zeit.

Modalverb + Infinitiv

b) trennbare Verben

aus|machen   Ich möchte den Fernseher aus|machen. Ich mache den Fernseher aus.

fern|sehen   Wir können heute nicht fern|sehen.   Wir sehen heute nicht fern.

2. Präpositionen/Ort

Wohin gehst du?   Ich gehe in/auf + Akkusativ

	Maskulinum	Neutrum	Femininum
Ich gehe	in den Zoo auf den Tennisplatz	ins Kino	in die Disco auf die Skaterbahn

3. Genitiv bei Namen

Jakob hat ein Hobby.   Jakobs Hobby ist Schachspielen.

Kommst du mit?

1 Was ist am Samstag los?

Flohmärkte in Ihrer Nähe

Nachtflohmarkt
am 8. 3.   19 – 22 Uhr
Augustinerkeller in Gröbenzell

Kinder- und Jugendflohmarkt
jeden Freitag und Samstag
14 – 16 Uhr,
im Pfarrheim Neuried

In Esting:
Bücherflohmarkt
Jeden Freitag und Samstag
14 – 16 Uhr

Großer Flohmarkt
am Samstag, 8. 3.
auf der Festwiese
in Olching

 a) Schau die Bilder oben an und lies die Texte.

 b) Hör den ersten Teil. Auf welchen Flohmarkt gehen sie?

L11/1

 c) Hör den zweiten Teil. Wer geht mit?

L11/2

2 Ja – Nein – Doch

	Ja.	Doch.	Nein.
Ist am Samstag Flohmarkt?	?	▬▬▬	?
Ist in der Nähe **kein** Nachtflohmarkt?	▬▬▬	?	?
Kommt Vicki **nicht** mit?	▬▬▬	?	?
Telefoniert Vicki mit Julia?	?	▬▬▬	?
Möchte Florian etwas kaufen?	?	▬▬▬	?
Möchte Vicki **nichts** verkaufen?	▬▬▬	?	?
Geht Florian immer auf den Flohmarkt?	?	▬▬▬	?
Und Julia? Geht sie **nie** auf den Flohmarkt?	▬▬▬	?	?
Verkauft Florian Spiele und Comics?	?	▬▬▬	?
Kauft Vicki Musikkassetten, CDs und Schallplatten?	?	▬▬▬	?
Möchte Julia **kein** Skateboard verkaufen?	▬▬▬	?	?

a) **Lies die Fragen. Dann hör die ganze Flohmarkt-Geschichte noch einmal.**

b) **Hör Frage 1 und antworte. Richtig? Hör zur Kontrolle die Antwort.**
   Hör dann Frage 2, 3, 4 ... und antworte.
   Zu schwer? Dann hör zuerst alle Fragen und Antworten.

c) **Ist bei dir in der Nähe ein Flohmarkt? Gehst du gern auf den Flohmarkt?**
   Möchtest du etwas kaufen oder verkaufen? Und was?

Ist hier ein Flohmarkt?	Ja.	Ist hier **kein** Flohmarkt?	Doch.
Kommt Vicki mit?	Nein.	Kommt Vicki **nicht** mit?	Nein.
Möchte Florian etwas verkaufen?		Möchte Florian **nichts** verkaufen?	
Geht Julia immer auf den Flohmarkt?		Geht Julia **nie** auf den Flohmarkt?	

3 Viele Fragen

Macht Gruppen und schreibt Fragen auf.

einfache Fragen	Fragen mit *nicht/nichts/nie/kein*
Spielst du gern Tennis?	Spielst du nicht gern Tennis?
Gehst du oft auf den Flohmarkt?	Gehst du nie auf den Flohmarkt?
...	Möchtest du nichts essen?
	...

Gruppe 1 würfelt. **Bei** 🎲 🎲 🎲 **stellt sie einfache Fragen.**

Bei 🎲 🎲 🎲 **stellt sie Fragen mit *nicht/nichts/nie/kein*.**

Gruppe 1 darf so lange alle Mitschüler fragen, bis jemand mit *Nein* antwortet.
Dann kommt Gruppe 2 dran.

4 Wo ist denn nur ...?

L11/4

- ● Wo ist denn nur der Walkman?
- ▲ Was machst du denn da?
- ● Ich suche meinen Walkman.
- ▲ Deinen Walkman?
- ● Ja. – Ach, hier ist er ja.

a) **Und auch so:**

der – meinen	das – mein	die – meine	die – meine
Gameboy	Handy	Kamera	Kassetten

L11/5

b) **Nun hör zu. Richtig? Wiederhole.**

Nominativ			Akkusativ		
Wo ist	der	Gameboy?	Ich suche	den	Gameboy.
Wo ist	mein/dein	Gameboy?	Ich suche	meinen/deinen	Gameboy.
Wo ist	das	Handy?	Ich suche	das	Handy.
Wo ist	mein/dein	Handy?	Ich suche	mein/dein	Handy.
Wo ist	die	Kamera?	Ich suche	die	Kamera.
Wo ist	meine/deine	Kamera?	Ich suche	meine/deine	Kamera.
Wo sind	die	Kassetten?	Ich suche	die	Kassetten.
Wo sind	meine/deine	Kassetten?	Ich suche	meine/deine	Kassetten.

5 Das brauche ich nicht mehr!

L11/6

- ● Du, Mami, am Samstag ist Flohmarkt.
- ▲ Ja und?
- ● Ich möchte meinen Gameboy verkaufen.
- ▲ Aber warum denn?
- ● Ach, ich brauche ihn nicht mehr.

Und auch so:

der – meinen Walkman	das – mein Skateboard	die – meine Uhr	die – meine Bücher
er → ihn	es → es	sie → sie	sie → sie

Akkusativ

Ich möchte	den/meinen	Gameboy verkaufen.	Ich brauche	ihn	nicht mehr.
Ich möchte	das/mein	Skateboard verkaufen.	Ich brauche	es	nicht mehr.
Ich möchte	die/meine	Uhr verkaufen.	Ich brauche	sie	nicht mehr.
Ich möchte	die/meine	Bücher verkaufen.	Ich brauche	sie	nicht mehr.

6 Lauter Laute

a) **So sprichst du das** *ch* **nach**

o	doch
u	Buch
a	machen
au	brauchen

Hör zu und sprich nach.

 L11/7

b) **Hör genau. Was ist falsch? 1, 2, 3, 4 oder 5?**

L11/8

c) **Lies laut. Dann hör zu. Richtig? Wiederhole.**

Sie sucht das Buch. Sie braucht das Buch. Hier ist es doch!
Er ist acht. Was noch? Er macht Sport. Du auch?

L11/9

7 Wörterkasten

Mach Karten für den Wörterkasten zum Thema *Freizeit*.
Schreib auch den Plural und mach gelbe Punkte.
So geht der Plural:

-s	Comic - Comics;	**ebenso:**	CD, Gameboy, Walkman, Skateboard, Handy, Kamera
–n	Kassette - Kassetten;	**ebenso:**	Schallplatte, Gitarre
–e	Heft - Hefte;	**ebenso:**	Spiel
⁀e	Block - Blöcke;	**ebenso:**	Fußball

Tipp!
Lern Nomen immer
mit der Pluralform.
(Plural - gelb)

8 Übung mit dem Wörterkasten

alle Karten aus dem Wörterkasten nehmen,
eine Karte ziehen

Und auch so:

Ich finde ihn/es/sie doof/langweilig/...

Flohmarkt

1 Reporter Rudi Renner

L12/1

a) Hör zu. Welche Situation ist das? Wie viele Personen interviewt der Reporter?

b) Schau die Bilder an und lies die Fragen. Dann hör noch einmal zu.
Was passt zusammen? Rechenrätsel

A Wir kommen aus Landsberg.

B Sigrid und Rolf Wöhrmann.

C Nein, das zweite Mal.

D Die Kamera hier.

E 13,90 Euro.

1 Sind Sie das erste Mal hier?
2 Woher kommen Sie?
3 Was verkaufen Sie denn?
4 Wie heißen Sie?
5 Was kostet der Walkman?

A	+B	+C	-D	+E
?	+?	+?	-?	+?	= 9

Lösung:

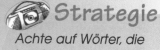

🎵 Strategie

Achte auf Wörter, die du schon kennst. Das hilft dir beim Verstehen.

L12/2

c) Was kosten die Sachen? Hör Frage 1, antworte und zeig mit. Richtig? Hör zur Kontrolle die Antwort.
Dann Frage 2, 3 ...
Zu schwer? Dann hör zuerst alle Fragen und Antworten.

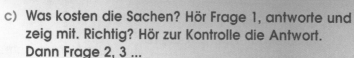

Vicki, was verkaufst du denn?

Julia, bist du das erste Mal hier?

Vicki und Florian, woher kommt ihr?

du

(Kinder, Freunde/Verwandte)

Frau Schubert, was verkaufen Sie denn?

Frau Schubert, sind Sie das erste Mal hier?

Herr und Frau Wöhrmann, woher kommen Sie?

Sie

(Erwachsene, Bekannte, Fremde)

2 Was suchen Sie?

L12/3

● Was suchen Sie denn?

▲ Habt ihr auch Tarzan-Comics? Ich lese nämlich gern Tarzan.

● Was? Sie lesen gern Tarzan?

▲ Na und?

● Sie sind doch schon ...

▲ ... so alt?

Und auch so:

Hip-Hop-Kassetten –   hören

Computerspiele –   ...

Kinderbücher –   ...

Tipp!

Sprecht mit verteilten Rollen. Hört euch gegenseitig genau zu und verbessert, wenn nötig. Aber fair sein !!!!

3 Julias Tagebuch

a) **Lies den Text.
Welche Wörter
fehlen?
Schau unten
nach.**

> *Samstag, den 25. ...*
>
> *Heute ist Samstag und es ist Flohmarkt. Ich bin dabei, das erste Mal! Ich möchte etwas verkaufen, meinen* ✳✳✳ *zum Beispiel. Ich brauche keinen* ✳✳✳. *Ich spiele nicht mehr Tennis. Und ein* ✳✳✳, *einen* ✳✳✳, *eine* ✳✳✳ *und noch ein paar Sachen. Aber ich möchte nichts kaufen! Ich kaufe hier doch nichts! Ich gehe mal herum und schaue, was es so gibt.*
>
> *Aber kaufen? Nein! Na ja, vielleicht einen* ✳✳✳. *Ich habe für Erdkunde keinen* ✳✳✳. *Oder ein* ✳✳✳. *Ich bin ganz gut in Englisch. Aber eigentlich brauche ich kein* ✳✳✳. *Nein, ich kaufe gar nichts!*
>
> *Ich mache jetzt Schluss. Da kommen Leute. Vielleicht verkaufe ich ja etwas.*

Skateboard – Tennisschläger – Gitarre
– Englischlexikon – Walkman – Atlas

b) **Kontrolliere gemeinsam mit deinem Partner.**

c) **Stell Satzfragen zum Text, zum Beispiel:** Möchte Julia nichts verkaufen?
Dein Partner antwortet: Ja/Doch **oder** Nein.

Nominativ			Akkusativ		
Hier ist ein	/kein	Walkman.	Ich möchte einen	/keinen	Walkman.
Hier ist ein	/kein	Handy.	Ich möchte ein	/kein	Handy.
Hier ist eine	/keine	Kassette.	Ich möchte eine	/keine	Kassette.
Hier sind –	/keine	Bücher.	Ich möchte –	/keine	Bücher.

4 Was suchst du eigentlich?
L12/4

● Was suchst du eigentlich?
■ Einen Hut.
● Hier ist ein Hut.

■ Lass mal sehen.
Den finde ich doof.

■ Lass mal sehen.
Den finde ich ...

der

Mantel (⸚)

das

Hemd (-en)

die

Hose (-n)

die

Jeans

Rock (⸚e)

Kleid (-er)

Jacke (-n)

Schuhe

Pulli (-s)

T-Shirt (-s)

Bluse (-n)

Stiefel

Hut (⸚e)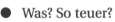

Tuch (⸚er)

Mütze (-n)

Handschuhe

a) **Hör die Wörter, zeig mit und sprich nach.**

b) **Macht weitere Dialoge mit den Wörtern von Aufgabe a).**

c) **Mach Karten für den Wörterkasten. Schreib auch den Plural. Gelbe Punkte!**
   Schreib auch eine Titel-Karte *Kleidung.*

d) **Was hast du heute an? Was trägst du gern?**

5 Wie findest du ...?

- ● Wie findest du den Pulli da?
- ■ Ich suche keinen Pulli. Ich suche einen Hut.
- ● Hier ist ein Hut.
- ■ Ach ja. Der ist ganz nett.
  Entschuldigung, was kostet denn der Hut?
- ▲ 1 Euro 10.
- ● Was? So teuer?
- ▲ Also gut, 80 Cent.
- ■ In Ordnung. Ich nehme den Hut.

Und auch so:

Mantel - Rock	T-Shirt - Tuch	Hose - Jacke	Schuhe - Stiefel
6,50 Euro	1,20 Euro	10 Euro	11,90 Euro
5,50 Euro	0,70 Euro	7 Euro	9,90 Euro

6 Spiel: Dalli-Dalli

Zwei Schüler gehen hinaus.
Zwei andere Schüler sagen abwechselnd ganz schnell:

Ich kaufe einen Mantel.

Ich kaufe ein Lineal.

Ich kaufe eine Kassette.

Ich kaufe einen Pulli.

Ich kaufe ...

Ich kaufe ...

Alle zählen mit. Wie viele Sätze in zwei Minuten?
Dann kommen die anderen zwei herein und sprechen genauso. Wer hat mehr Sätze?

7 Das Autogramm

a) Schau die Bilder an. Ordne die Sätze.

W	Du, Vicki! Siehst du den?
N	Na, den Mann da!
R	Das ist sicher ein Filmstar oder so etwas.
F	Ja, klar! Ich möchte ein Autogramm.
T	Ein Autogramm! Los, wir gehen hin.
U	Entschuldigung, geben Sie mir ein Autogramm?
I	Herr Wagner!
?	Mein Sportlehrer. O je!

F	Was möchtest du?
A	Herr Wagner? Wer ist das?
E	Wen?
I	Wirklich?
T	Wer ist denn das?
L	Hallo, Julia.
J	Bist du verrückt?

b) Lest die Szene laut.

Lösung:

1	2	3		4	5	6	7	8	9		10	11	12	13	14		15
?	?	?		?	?	?	?	?	?		?	?	?	?	?		?

Nominativ	Akkusativ

Nominativ

Sache: Was ist das? – Ein Autogramm.

Person: Wer ist das? – Ein Mann.

Akkusativ

Sache: Was möchte Julia? – Ein Autogramm.

Person: Wen sieht Julia? – Einen Mann.

8 Das Autogramm – die Geschichte

Schreib die Geschichte zu den Fotos auf Seite 82. Schreib so:

Heute ist … Vicki, Florian und Julia sind … Sie möchten …

Aber da! … sieht …? Einen Mann. Er ist sicher …

… möchte …? Ein …

9 Der Flohmarkt ist zu Ende

Der Flohmarkt ist zu Ende. Florian
macht Kasse: zehn Comics
zu 0,80 Euro und vier Spiele
zu 1,50 Euro. Ganz gut! Dafür möchte
Florian ein Computerspiel kaufen.

Auch Vicki macht Kasse: sechs Bücher
zu 1,20 Euro und vierzehn Kassetten
zu 0,50 Euro. Das ist doch prima!
Dafür möchte sie eine CD von Rocky O.
kaufen.

Und Julia? Sie hat nicht viel
verkauft, nur den Walkman. So ein
Flohmarkt ist nichts für Julia.
Sie verkauft nichts.
Sie kauft nichts. Oder doch?

a) **Wer hat am besten verkauft?**

b) **Schau das Bild an.**
   Was hat Julia gekauft?

c) **Vergleiche Julias Verkauf**
   und Einkauf. Reicht das Geld?

Das kann ich schon:

Sätze und Wörter

- einkaufen: Ich brauche/suche/möchte/ ... Ich nehme ... Habt ihr / Haben Sie ...? So teuer!

- einen Preis erfragen   Was kostet die Gitarre?   Du sagst: 19 Euro 90.   Du schreibst: 19,90 Euro.
  und sagen: Was kosten die Kassetten? Du sagst: 50 Cent.   Du schreibst: 0,50 Euro.

- Sachen für die Freizeit: Gameboy, Walkman, Tennisschläger, Snowboard, Kamera, Comics, Handy

- Kleidung: Mantel, Rock, Pulli, Hut, Hemd, Kleid, T-Shirt, Tuch, Hose, Jacke, Bluse, Mütze,
  Jeans, Schuhe, Stiefel, Handschuhe

GRAMMATIK

1. Satz

a) Satzfrage und Antwort

positiv:

Ist hier ein/immer Flohmarkt?	Ja.
Kommt Vicki mit?	
Möchte sie etwas verkaufen?	Nein.

negativ:

Ist hier kein/nie Flohmarkt?	Doch.
Kommt Vicki nicht mit?	
Möchte sie nichts verkaufen?	Nein.

b) W-Fragen

Nominativ	Akkusativ
Sache: Was ist das? – Ein Autogramm.	Sache: Was möchte Julia? – Ein Autogramm.
Person: Wer ist das? – Ein Mann.	Person: Wen sieht Julia? – Einen Mann.

2. Verb

Höflichkeitsform

Sie such|en| les|en| Singular   Herr Meier, lesen Sie gern Comics?
    |sind| Plural   Herr und Frau Meier, lesen Sie gern Comics?

3. Nomen – Nominativ und Akkusativ

Nominativ Singular						Akkusativ Singular					
Maskulinum		Neutrum		Femininum		Maskulinum		Neutrum		Femininum	
der	Hut	das	Tuch	die	Hose	den	Hut	das	Tuch	die	Hose
ein		ein		eine		einen		ein		eine	
mein		mein		meine		meinen		mein		meine	
dein		dein		deine		deinen		dein		deine	
kein		kein		keine		keinen		kein		keine	

Nominativ Plural		Akkusativ Plural	
die	Stiefel	die	Stiefel
meine		meine	
deine		deine	
keine		keine	

4. Personalpronomen, Akkusativ (3. Person Singular/Plural)

Ich möchte	den Gameboy	verkaufen.	Ich brauche	ihn	nicht mehr.
	das Auto			es	
	die Kassette			sie	
	die Comics			sie	

1 Lesen

a) Lies zuerst nur den Titel des Zeitungsartikels. Worum geht es ? – Lies dann den Artikel.

Strategie

Konzentriere dich auf die Wörter, die du schon kennst. Dann verstehst du die wichtigsten Informationen im Text.

Berlin

Aktion „Kinder für Kinder"

Martina Maiwald ist zwölf Jahre alt und wohnt in Berlin. Martinas Mutter kommt aus Nigeria. Martina fährt in den Ferien manchmal mit ihren Eltern dorthin. Dieses Mal ist sie mit einer Idee zurückgekommen: Sie möchte den Kindern in Nigeria helfen. Denn in Nigeria können viele Kinder nicht in die Schule gehen. Die Schulen sind zu weit weg oder zu teuer. Martina lässt ihrem Vater keine Ruhe mehr. Martinas Vater ist der berühmte Sänger Martin Maiwald. Zusammen starten sie die Aktion „Kinder für Kinder". Bei Papas Konzerten, im Radio und im Internet ruft Martina Kinder in Deutschland, Österreich und in der Schweiz zur Hilfe auf. Sie sammelt Geld, damit die Kinder in Nigeria in die Schule gehen können. Wer möchte mitmachen?

---

b) Bastian und seine Freunde lesen den Artikel. Was machen sie? Was meinst du?

Es ist Pause. Bastian zeigt seinen Freunden Hakan und Kati einen Zeitungsartikel. „Na", fragt Bastian, „wie findet ihr das?" „Ganz interessant", sagt Hakan. „Da können wir doch mitmachen." „Ich habe auch schon eine Idee", sagt Bastian. „Wir können doch hier in der Schule einen Flohmarkt machen. Wir verkaufen Sachen, und dann schicken wir das Geld an die Aktion." „Super Idee!", sagt Hakan. „Wir organisieren einen Flohmarkt." „Wie denn?", fragt Kati. „Wir machen ein Plakat", sagt Bastian. „Dann weiß die ganze Schule Bescheid." „Ja, schon. Aber was verkaufen wir? Und wo?" „Langsam", meint Bastian. „Zuerst gehen wir in jede Klasse und besprechen mit den anderen: Wann ist der Flohmarkt? Wohin geht das Geld? Und vor allem: Was können wir verkaufen?" „Genau", sagt Kati. „Und dann machen wir das Plakat. – Was können wir eigentlich verkaufen?" „Na ja, Bücher, Comics, Spielsachen, Computer-spiele, CDs und so", sagt Hakan. „Und dann brauchen wir noch Tische und ..." „Moment", sagt Bastian. „Wir schreiben einfach eine Liste." „Wir müssen auch noch den Klassen-lehrer und den Direktor fragen", sagt Kati. „Au ja, das dürfen wir nicht vergessen!", sagt Bastian. „Und jetzt schreiben wir die Liste."

> Plakat schreiben
> in die Klassen gehen
> Tische in die Turnhalle bringen
> den Direktor und den Klassenlehrer fragen
> das Geld abschicken
> Flohmarkt

„Und wann machen wir den Flohmarkt?", möchte Kati wissen. „Wie ist es am Freitag in drei Wochen?", schlägt Hakan vor. „Das ist Freitag, der 24. März. Warum nicht? Um drei Uhr", sagt Bastian. „Alles klar?"

c) Lies noch einmal den Zeitungsartikel. Stell Fragen: *Wer? Wo? Was? Wann? Warum? ...*

d) Lies noch einmal die Geschichte. Ordne die Liste.

e) Schreib das Plakat. Schreib einen Titel, dann: *Warum/Wann/Wo/Was gibt es ...?*

f) Möchtet ihr einmal einen Flohmarkt an der Schule organisieren? Macht einen Plan.

2 Landeskunde

Was machen deutsche Jugendliche in der Freizeit?

a) Schau die Grafik an und mach Sätze.

Jungen:

62 % (Prozent) sehen gern fern.

34 % machen ...

? % surfen gern im Internet.

Mädchen:

67 % treffen sich gern mit Leuten.

32 % lesen ...

? % spielen am Computer.

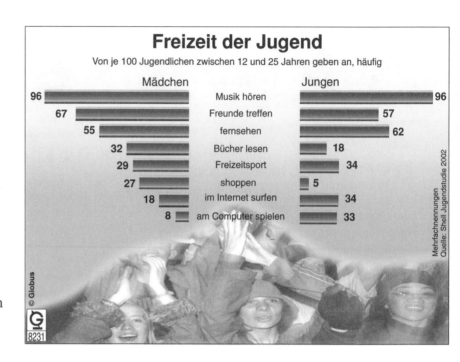

Freizeit der Jugend

Von je 100 Jugendlichen zwischen 12 und 25 Jahren geben an, häufig

Mädchen		Jungen
96	Musik hören	96
67	Freunde treffen	57
55	fernsehen	62
32	Bücher lesen	18
29	Freizeitsport	34
27	shoppen	5
18	im Internet surfen	34
8	am Computer spielen	33

© Globus

8231

Mehrfachnennungen
Quelle: Shell Jugendstudie 2002

b) Schau genau. Was machen Mädchen und Jungen gleich gern?
Was machen Mädchen gern, Jungen aber nicht so gern?
Was machen Jungen gern, Mädchen aber nicht so gern?

c) Frag deinen Partner:

Was machen die Mädchen/Jungen lieber, ... oder ... ?
Was machen die Mädchen/Jungen am liebsten? / gern? / nicht so gern?

d) Macht eine Statistik in der Klasse. Ihr könnt auch eine Umfrage in der ganzen Schule machen und dann eine Statistik erstellen.

3 Gemeinschaftsarbeit

3.1 Plakat: Freizeit

**Wie ist das bei euch?
Was machen die Jugendlichen in deinem Land in der Freizeit?
Macht gemeinsam ein Plakat.
Sammelt Zeitungsartikel, schneidet Bilder aus und beschriftet sie auf Deutsch.**

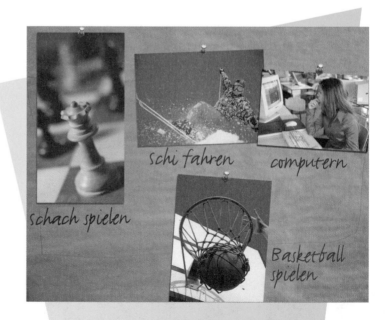

schi fahren

computern

schach spielen

Basketball spielen

3.2 Klassenzeitschrift

a) Schreib auf:
   deinen Namen,
   dein Alter,
   etwas über deine Familie und deine Freunde,
   deine Hobbys,
   was du gut oder nicht so gut findest,
   etwas über deine Klasse,
   was du in der Pause isst,
   dein Lieblingsfach in der Schule.

b) Sammelt die Seiten und kopiert sie.
   Macht ein Titelblatt und klammert
   alles zusammen.

Ich heiße Eva.
Ich bin 13 Jahre alt.

Ute ist meine ...
Ich ...

4   Lernen – Wortschatz

a) So kannst du Wörter lernen:
   1. Lern ein Wort mit dem ganzen Satz aus der Lektion.

   Beispiel: *ausmachen:* →   Du kannst doch nicht einfach den Fernseher *ausmachen.*

   2. Mach selbst weitere Sätze: Du kannst doch nicht einfach den Computer *ausmachen.*

   Mach das Gleiche mit dem Wort *suchen.*

b) So kannst du Redewendungen lernen:
   1. Lern diese Sätze immer im Kontext, wie sie in der Lektion vorkommen.

   Beispiel: *Hast du Lust?*   →   Wir gehen auf den Sportplatz. *Hast du Lust?*

   2. Mach selbst Sätze: Kommst du mit ins Kino? – Nein, *ich habe keine Lust.*

   Mach das Gleiche mit der Redewendung *Tut mir leid.*

c) Nomen und Artikel lernen
   Lern Nomen immer im ganzen Satz, denn mit dem Verb ändert sich der Artikel.

Nominativ	**Akkusativ**
Wo ist der/das/die ...?	Ich möchte den/das/die ...
Hier/Das/Da ist ein/ein/eine ...	Ich kaufe/verkaufe einen/ein/eine ...
Mein/Meine ... ist weg/nett/...	Ich habe meinen/mein/meine ... vergessen.
Der/Das/Die ... kommt aus ... / wohnt in ...	**Ebenso:** suchen, finden, brauchen,
Der/Das/Die ... kostet ...	nehmen, haben, sehen, lesen, malen

   Nimm Karten aus dem Wörterkasten und mach Sätze. Beispiel: *Kleidung*
   Der Pulli kostet 15 Euro.   Ich kaufe den Pulli.

5 Wiederholung

L12/7

5.1 Lied

a) **Hör zu und lies den Text der ersten Strophe mit.**

Was machen wir am Montag?
Am Montag? Am Montag?
Wir gehen in die Schule,
wie immer am Montag.
Wir haben Mathe und Physik,
Englisch und Musik,
Geschichte und dann Kunst.

Ja, ja, das weiß ich doch!
Was machen wir denn noch?
Ach so, du meinst nachher.
Ja, das ist doch klar.
Wir gehen dann ins Kino.
Oh, das wird ein Supertag!
Wir treffen uns um vier – bei mir.

b) **Mach weitere Strophen mit deinem Stundenplan, anderen Wochentagen und anderen Orten.**

c) **Hör zu und lies die Strophe mit.**

L12/8

Was machen wir am Samstag?
Am Samstag? ...
Wir haben keine Schule, wie immer ...
Wir schlafen lange aus,
stehen spät auf.
Dann gibt es Kaffee und Brot.

Ja, ja, das weiß ...
Wir gehen auf den Flohmarkt
und verkaufen Sachen.
Wir treffen uns um eins – bei Heinz.
Der will bestimmt mitmachen.

Mach die Strophe „Am Sonntag": Kaffee → Tee, Milch, ... Brot → Brezel, Brötchen, ...

5.2 Jan und der Neue

1 ✳✳✳ möchte Jan Freunde treffen? – Um vier Uhr.
2 ✳✳✳ ist es jetzt? – Halb vier.
3 ✳✳✳ geht Jan? – Auf den Sportplatz.
4 ✳✳✳ sieht er? – Einen Jungen.
5 ✳✳✳ hat der Junge? – Einen Fußball.
6 ✳✳✳ macht er? – Er spielt allein.

7 ✳✳✳ heißt der Junge? – Mario.
8 ✳✳✳ ist er? – Zwölf.
9 ✳✳✳ kommt er? – Aus Italien.

10 ✳✳✳ ist er schon in Deutschland? – Erst zehn Tage.
11 ✳✳✳ spielt er allein? – Er hat noch keine Freunde.
12 ✳✳✳ sagt „Hallo"? – Jan.
13 ✳✳✳ sagt Mario? – Nichts.
14 ✳✳✳ ist der Ball? – Hier.
15 ✳✳✳ nimmt Jan? – Den Ball.
16 ✳✳✳ machen die zwei? – Sie spielen zusammen.
17 ✳✳✳ gut kann Mario Fußball spielen? – Sehr gut.

a) **Setz diese Wörter ein:**

Woher – Wohin – Wie spät – Wie lange – Wie – Wen – Wer – Wann – Was – Wie alt – Warum – Wo

b) **Schreib die Geschichte auf. Schreib so:**
   Jan möchte um vier Uhr Freunde treffen. Es ist jetzt ...

Zu Hause

Das lernst du:

- jemanden ermuntern
- eine Ablehnung begründen
- sich rechtfertigen
- jemanden einladen
- Tiere beschreiben
- Reisepläne machen
- was man am Morgen macht
- was man zum Frühstück isst und trinkt
- die Tageszeiten
- was man zu Hause machen muss
- etwas über Haustiere
- die Farben
- eine Adresse nennen

Stress

Orangensaft trinken

1 So ein Morgen!

wecken

Hemd und Hose anziehen

weiterschlafen

die Schulsachen einpacken

die Zähne putzen

Hände und Gesicht waschen

aufwachen

N ins Bad gehen

D frühstücken

I aufstehen

O duschen

Tipp!
Verben kannst du
besser behalten,
wenn du das Wort
laut sprichst und
dabei die Tätigkeit
ausführst.

L13/1

a) **Deck die Bilder ab. Hör zu. Welche Situation ist das?**

b) **Schau die Bilder an. Hör noch einmal zu.**
   Was macht Manuel heute? Ordne die Bilder.

1	2		3	4	5		6	7	8	9	10
Lösung: | S | ? | | ? | ? | ? | | ? | ? | ? | ? | ? | N!

c) **Hör zu, zeig mit und sprich nach.**

L13/2

d) **Ordne die Aussagen den Bildern zu.**

Keine Zeit! Morgen wieder.

Tee? Nein, heute nicht!

Was? So spät schon?

Jetzt ist der Aufsatz weg!

Ich habe heute später Schule.

Wo ist denn die Hose?

e) **Bilde Sätze:** Die Mutter weckt Manuel. Manuel schläft weiter. Er wacht ...
   ⚠ Er frühstückt nicht.

2 Manuels Morgen

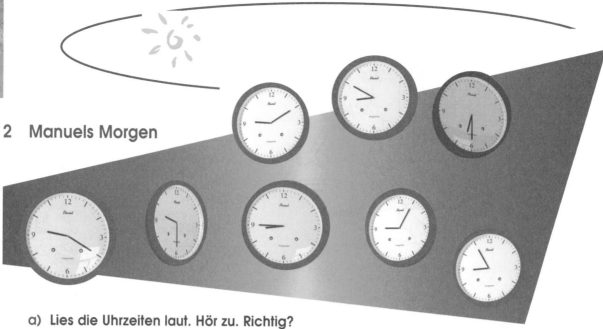

L13/3

a) Lies die Uhrzeiten laut. Hör zu. Richtig?

b) Ordne die Uhrzeiten den Satzteilen zu und lies die Sätze.

1 ... weckt die Mutter Manuel.
2 ... wacht er auf.
3 ... wäscht er Gesicht und Hände und putzt die Zähne.
4 ... zieht er Hemd und Hose an.

5 ... trinkt er Orangensaft.
6 ... packt er die Schulsachen ein.
7 ... geht er in die Schule.
8 ... fängt die Schule an.

Um halb sieben weckt die Mutter Manuel. Um ... wacht er auf. Um ... wäscht er ...

c) Schreib auf: Manuels Morgen. Um halb sieben ...

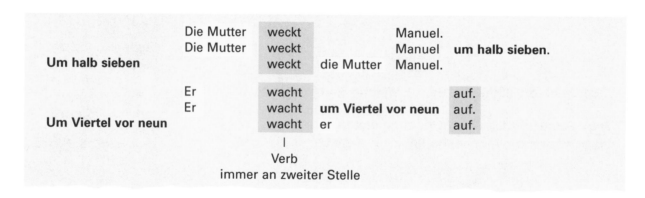

	Die Mutter	weckt		Manuel.	
	Die Mutter	weckt		Manuel	**um halb sieben.**
Um halb sieben		weckt	die Mutter	Manuel.	
	Er	wacht			auf.
	Er	wacht	**um Viertel vor neun**		auf.
Um Viertel vor neun		wacht	er		auf.

Verb
immer an zweiter Stelle

3 Wie sieht dein Morgen aus?

a) Frag deinen Partner:

Ich stehe auf.
Ich putze meine Zähne.
Ich ziehe mich an. ...

Wann stehst du auf?

Was machst du am Morgen?

Um ...

ins Bad gehen, frühstücken, in die Schule gehen/fahren, ...

b) Schreib Sätze: Um ... stehe ich auf. Um ...

4 In der Pause

* Mensch Rebecca, ich habe so einen Hunger!
● Frühstückst du denn nicht?
* Doch, ich frühstücke eigentlich immer: Brötchen mit Butter, Ei, Wurst, Marmelade, ... Aber heute!
● Hier, ich habe noch ein Brötchen.

a) **Ergänze den Dialog mit den abgebildeten Wörtern.**

b) **Hör zur Kontrolle den ganzen Dialog und sprich nach.**

 L13/4

5 Essen und trinken

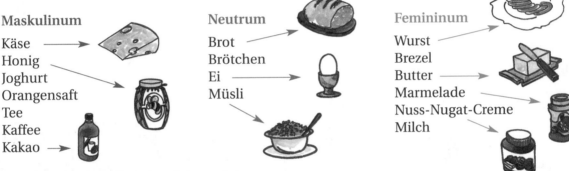

Maskulinum	Neutrum	Femininum
Käse	Brot	Wurst
Honig	Brötchen	Brezel
Joghurt	Ei	Butter
Orangensaft	Müsli	Marmelade
Tee		Nuss-Nugat-Creme
Kaffee		Milch
Kakao		

a) **Hör zu, zeig mit und sprich nach.**

 L13/5

b) **Schreib Karten für den Wörterkasten. Sortiere die Karten bei *Essen und Trinken* ein.**

6 Wortkette „Was isst du zum Frühstück?"

Zum Frühstück esse ich Brötchen.

Zum Frühstück esse ich Brötchen und Marmelade.

Zum Frühstück esse ich Brötchen, Marmelade und Honig.

...

7 Lauter Laute

Hör zu, lies mit und sprich nach.
Käse – Käsebrot – spät – später – Zähne – Tennisschläger – er fährt –
Mäppchen – Hände – Sänger – Malkästen – Äpfel – Blätter – Bälle – es fängt an

L13/6

8 Was gibt es zum Frühstück?

Hör zu. Was notiert der Reporter?
Mach so eine Liste.

	Montag bis Freitag		Samstag und Sonntag
	Essen	Trinken	
Tommy			
Jana			
Martin			

 L13/7

9 Frühstück in aller Welt

a) **Beantworte die Fragen:**
1 Wie heißt das Mädchen aus Italien?
2 Was frühstückt der Junge aus Neuseeland?
3 Wer trinkt zum Frühstück Kakao?
4 Sie isst zum Frühstück Cornflakes. Woher kommt sie?

b) **Mach weitere Fragen für deinen Partner.**

c) **Was isst und trinkst du zum Frühstück? Wie frühstücken andere Leute in deinem Land?**

Von:Jessi.ca.@ofir .dk, Jessica
betreff: **Frühstück**
Hallo! Ich heiße Jessi, bin 15 Jahre alt und komme aus Dänemark. Morgens esse ich Cornflakes, Haferflocken oder Brot. Ich trinke Milch, Kakao oder Tee.

Von:maasots@hotmail.com, Matthew
betreff: **zum fruehstück**
Hallo, ich heiße Matthew und ich bin 14. Ich wohne in Wellington, Neuseeland. Morgens esse ich Cornflakes mit Zucker und Milch. Ich esse auch Toast mit Honig oder Marmelade. Ich trinke Milch. Am Morgen habe ich einen ziemlich großen Hunger.

Von: bussoli_stortissa@msn.com
betreff: **zum fruehstück**
Zum Frühstück esse ich nicht viel ... Ich trinke eine Tasse Milch und ich esse ein paar Kekse. Das ist alles.
Tschüs, Beatrice aus Mailand

10 Tageszeiten

a) **Hör zu, zeig mit und sprich nach.**

am Morgen   am Vormittag   am Mittag   am Nachmittag   am Abend   in der Nacht

b) **Hör die Fragen und antworte.**

11 Einladung zum Mittagessen

10.45 Uhr. Gleich ist die Pause zu Ende. „Ach Mensch, Mittwoch ist blöd", sagt Rebecca. „Warum?", fragt Manuel.
Rebecca geht nicht in Manuels Klasse. Sie hat immer am Mittwochnachmittag Musikunterricht. Sie fährt am Mittag nicht nach Hause, denn sie wohnt so weit weg. Also muss sie bis halb drei warten. „Komm doch mit!", sagt Manuel. „Ich muss nur noch schnell einkaufen. Dann essen wir etwas bei mir zu Hause." „Musst du nicht erst deine Mutter fragen?", fragt Rebecca. „Nein", sagt Manuel, „Meine Mutter kommt erst am Abend nach Hause." Manuels Mutter arbeitet nämlich den ganzen Tag. Die Kinder müssen am Mittag das Essen selbst machen. „Na gut", sagt Rebecca. „Aber geht das? Wir müssen pünktlich um halb drei da sein. Der Musiklehrer ist nämlich ziemlich streng. ‚Ihr müsst immer pünktlich sein. Pünktlichkeit ist so wichtig im Leben.' sagt er." Manuel lacht: „Also dann, bis eins."

a) **Lies den Text.**
Warum bleibt Rebecca am Mittwochmittag immer in der Schule?
Warum bleibt sie heute nicht in der Schule?

b) Was ist richtig? Was ist falsch? Rechenrätsel

a   Die Pause ist um Viertel nach zehn aus.
b   Rebecca und Manuel gehen nicht in eine Klasse.
c   Manuel hat am Mittwochvormittag Informatik, Rebecca am Mittwochnachmittag.
d   Manuel muss die Mutter fragen.
e   Manuels Mutter kommt erst am Abend nach Hause.
f   Die Kinder müssen in der Nacht das Essen machen.
g   Die Mutter sagt: „Ihr müsst immer pünktlich sein.“

richtig = 10; falsch = 3

Lösung:

a+	b+	c+	d–	e–	f–	g
?+	?+	?+	?–	?–	?–	?

= 3

ich	muss	wir	müssen	Ich muss einkaufen.
du	musst	ihr	müsst	Ihr müsst pünktlich sein.
er/es/sie	muss	sie	müssen	Die Kinder müssen das Essen selbst machen.

12 Schreibspiel

Spielt in Gruppen zu vier bis sechs Spielern. Jeder Spieler schreibt auf ein Blatt:

Am Morgen | *muss ich* | *in die Schule* | *gehen* | *und lernen.*

Darunter eine Tageszeit schreiben: *Am Vormittag, in der Nacht, ...*
Nach hinten klappen, nach links weitergeben.

Darunter schreiben: *muss Manuel, muss ich, müssen wir, ...*
Nach hinten klappen, nach links weitergeben.

Darunter einen Ort schreiben: *ins Bett, auf den Sportplatz, ...*
Nach hinten klappen, nach links weitergeben.

Darunter ein Verb schreiben: *reiten, schwimmen, ...*
Nach hinten klappen, nach links weitergeben.

Darunter *und* + Verb schreiben: *und Schlagzeug spielen, und fotografieren, ...*
Nach hinten klappen, nach links weitergeben.

Blatt aufmachen und vorlesen.

Am Morgen | *muss ich* | *in die Schule* | *gehen* | *und lernen.*
Am Vormittag | *muss Manuel* | *ins Bett* | *reiten* | *und Schlagzeug spielen.*

Manuel, der Hausmann

1 Bei Manuel zu Hause

den Müll rausbringen   Geschirr spülen   den Hund ausführen   für Oma einkaufen

aufräumen   kochen   einkaufen   sauber machen

a) Hör zu und schau die Bilder an.

b) Hör noch einmal zu und zeig auf die Bilder.
    Was muss Manuel heute nicht machen?

c) Hör die Fragen und antworte.

Strategie

Keine Angst vor längeren Hörtexten! Beim ersten Hören musst du noch nicht alles verstehen. Beim zweiten oder dritten Hören kannst du genauere Informationen entnehmen.

2 Lauter Laute

a) Hör zu, lies mit und sprich nach.
    Freund – Freundin – Schlagzeug – teuer – Deutsch – neun – freundlich – Zeugnis

b) Du schreibst *eu*. Du sprichst [ɔy]. Lies laut. Dann hör zu. Richtig? Wiederhole.
    neu – neunzehn – neunzig – unfreundlich – Deutschlehrer – heute – Deutschland – Euro

c) Auch hier sprichst du [ɔy]. Aber du schreibst *äu*!
    Hör zu,
    lies mit und
    sprich nach.

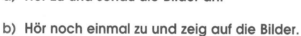

 aufräumen   Träume    Häuser

3 Fragewürfel

**Bastelt einen Würfel aus Karton und schreibt
auf jede Fläche ein Fragewort:**

   Wer?   Wann?   Was?   Wie oft?   Warum?

und auf eine Fläche nur ein Fragezeichen ? .

Du würfelst und stellst eine Frage mit dem Fragewort oben.
Beispiel: Wer kommt am Abend nach Hause?

Wenn du ? würfelst, musst du eine Satzfrage stellen.
Beispiel: Muss Manuel am Mittwoch für Oma einkaufen?

4 Armar – der Roboter

1 Blumen gießen kann er schon. Wie man eine
   Spülmaschine ausräumt, das muss Armar noch
   lernen. Armar ist ein Roboter. Er sieht teilweise
   aus wie ein Mensch. „Geboren" ist Armar an der
5 technischen Hochschule Karlsruhe. Armar soll
   die perfekte Haushaltshilfe werden. Auf
   Kommando arbeitet er den ganzen Tag, ohne
   Pause. Hunger und Durst hat er nicht. Ein
   Traum von einer Haushaltshilfe!

a) Was ist richtig?

   Der Roboter arbeitet an der
   technischen Hochschule.

   Der Roboter arbeitet im Haushalt.

   Der Roboter arbeitet in der Pause.

b) Ordne die Bilder den Zeilen zu.

A	B	C	D
3	?	?	?

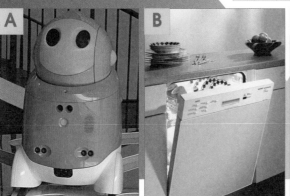

5 Telefongespräch

L14/6

▲ Manuel Altmann.

● Hallo, Manu! Hier ist Uli.

▲ Hallo, Uli. Was gibt's denn?

● Kommst du mit ins Kino ?

▲ Tut mir leid. Ich kann nicht.

● Warum denn nicht?

▲ Erst muss ich hier sauber machen und Geschirr spülen. Dann muss ich den Müll rausbringen, …

● Ach, komm schon! Der Film läuft nur heute. Und er ist bestimmt ganz toll.

▲ Es geht aber heute wirklich nicht!

● Nun sei kein Frosch!

▲ Also gut! Aber ich muss um fünf Uhr zu Hause sein.

Tipp!

Lern Redewendungen auswendig und verwende sie auch in anderen Situationen.

a) **Und auch so:**

in den Zirkus	– Ich habe zwei Karten. Aber mein Bruder kann nicht.	– Nun hab dich nicht so!
auf den Sportplatz	– Heute ist doch das Spiel gegen die 8 b. Und Peter ist krank.	– Nun komm schon!
ins Schwimmbad	– Meine Eltern möchten dich einladen.	– Ach, komm schon.
zu Paul	– Er hat einen super Videofilm. Den muss er aber heute zurückgeben.	– Sei doch kein Frosch!

b) **Wohin möchtest du deinen Freund / deine Freundin mitnehmen? Macht weitere Dialoge.**

6 Die Schwester ist da!

✳   ▲ Hallo, Christine. Du bist schon da?

✳ Manuel! Wie sieht es hier denn aus! Was hast du denn den ganzen Nachmittag gemacht?

      ▲ Warum? Am Mittag habe ich eingekauft. Dann habe ich gekocht.

✳ Wie geht das denn? Drei Stunden kochen!

      ▲ Das geht dich gar nichts an!

✳ Heute ist Mittwoch. Das ist dein Tag!

      ▲ Ich weiß.

✳ Und? Warum hast du deine Arbeit nicht gemacht?

      ▲ Ich mache meine Arbeit schon noch.

✳ Du hast nicht sauber gemacht.

      ▲ Ja ja, ich mache ...

✳ Du hast das Geschirr auch noch nicht gespült.

      ▲ Na und? Ich ...

✳ Und den Müll? Hast du den rausgebracht?

      ▲ Nein, aber ich ...

✳ Überall liegen deine Sachen rum. Du hast nicht mal aufgeräumt.

      ▲ Ich weiß, aber ich ...

✳ Und was ist mit Hasso? Hast du den Hund wenigstens ausgeführt?

      ▲ Nein, das mache ich jetzt.

      Komm, Hasso, wir gehen!

**Lies den Dialog mit deinem Partner. Was sagt Manuel? Ergänze.
Hör dann den Text zur Kontrolle.
Zu schwer? Dann hör zuerst zu. Lies danach den Dialog und ergänze.**

kochen	→	gekocht
einkaufen	→	eingekauft
machen	→	gemacht
sauber machen	→	sauber gemacht
spülen	→	gespült
rausbringen	→	rausgebracht
aufräumen	→	aufgeräumt
ausführen	→	ausgeführt

Ich habe meine Arbeit gemacht.
Du hast nicht aufgeräumt.

Perfekt
haben + Partizip

7 Die Mutter kommt nach Hause

a) Hör zu. Wer spricht?

b) Hör noch einmal zu.
   Was hat Christine gemacht?
   Was hat Manuel inzwischen gemacht?

8 E-Mail

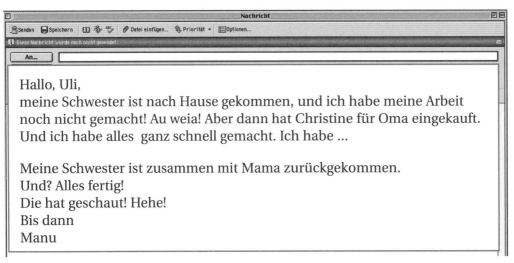

Hallo, Uli,
meine Schwester ist nach Hause gekommen, und ich habe meine Arbeit
noch nicht gemacht! Au weia! Aber dann hat Christine für Oma eingekauft.
Und ich habe alles ganz schnell gemacht. Ich habe ...

Meine Schwester ist zusammen mit Mama zurückgekommen.
Und? Alles fertig!
Die hat geschaut! Hehe!
Bis dann
Manu

Schreib den Mittelteil fertig.

9 Gruppengespräch

a) **Schreibt Karten zum Thema** *Zu Hause.*
   Macht Gruppen. Legt die Karten
   verdeckt auf den Tisch. Einer zieht
   eine Karte und stellt eine Frage.
   Ein anderer antwortet.
   Beispiel: Was isst du zum Frühstück?
   Musst du zu Hause Geschirr spülen?
   Was machst du am Nachmittag?

Zu Hause
Früh-
stück

Zu Hause
Tätig-
keiten

Zu Hause
Tages-
zeiten

b) **Zeichnet Karten mit Frühstückssachen.**
   Macht dazu ein Fragezeichen ?
   oder ein Ausrufezeichen ! .

   ● Isst du gern Brötchen?   ● Gib mir bitte den Honig.
   ✻ Ja, sehr gern.   ✻ Hier bitte.

Das kann ich schon:

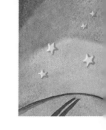

Sätze und Wörter:

- jemanden einladen:

  Meine Eltern möchten / Ich möchte dich einladen. – Kommst du mit?

- jemanden ermuntern:

  Sei kein Frosch! – Hab dich nicht so! – Komm schon!

- eine Ablehnung begründen:

  Ich kann nicht. Ich muss ... Es geht wirklich nicht.

- sich rechtfertigen:

  Das geht dich gar nichts an. – Na und? – Ich weiß, aber ... - Ich mache ... schon noch.

- Tätigkeiten am Morgen:

  wecken, weiterschlafen, aufwachen, aufstehen, ins Bad gehen, waschen, duschen, Zähne putzen, anziehen, frühstücken, die Schulsachen einpacken

- Frühstück:

  Käse, Honig, Joghurt, Orangensaft, Tee, Kaffee, Kakao, Brot, Brötchen, Ei, Wurst, Müsli, Brezel, Butter, Marmelade, Nuss-Nugat-Creme, Milch

- Tageszeiten:

  Morgen, Vormittag, Mittag, Nachmittag, Abend, Nacht

- Tätigkeiten zu Hause:

  aufräumen, sauber machen, Geschirr spülen, den Müll rausbringen, einkaufen, kochen, den Hund ausführen

GRAMMATIK

1. Verb

a) Modalverb *müssen*

ich	muss	wir	müssen	Ich muss Hausaufgaben machen.
du	musst	ihr	müsst	Manuel muss einkaufen.
er/es/sie	muss	sie	müssen	Ihr müsst aufräumen.

b) Perfekt

Infinitiv	Partizip	Perfekt		
machen	gemacht	Ich habe	die Arbeit	gemacht.
kochen	gekocht	Hast du		sauber gemacht?
spülen	gespült	Wir haben	heute	aufgeräumt.
sauber machen	sauber gemacht			
aufräumen	aufgeräumt	haben	+	Partizip
ausführen	ausgeführt			
einkaufen	eingekauft			
rausbringen	rausgebracht			

2. Satz

Inversion

Rebecca	frühstückt	am Morgen.	
Am Morgen	frühstückt	Rebecca.	
Die Schule	ist	um ein Uhr	aus.
Um ein Uhr	ist	die Schule	aus.

So viele Tiere

1 Das kann mein Tier!

R

U

I

S

H

T

E

E

A

1 Meine Ratte Resi macht gern Sport.

2 Das Meerschweinchen kann computern.

3 Das ist meine Katze Misch. Sie kann gut Klavier spielen.

5 Mein Papagei fährt gern Rollschuh.

6 Meine Maus frisst einen Apfel in einer Minute.

8 Mein Hase geht gern spazieren.

4 Der Hund kann gut Rad fahren.

7 Meine Schildkröte liest gern.

9 Mein Wellensittich spielt gern Ball.

a) **Was passt zusammen?**

	1	2	3	4	5	6	7	8	9
Lösung:	H	?	?	?	?	?	?	?	?

L15/1

b) **Hör zu, zeig mit und sprich nach.**

2 Haustiere

a) Hör zu. Was für ein Tier ist das?

b) Mach Karten für den Wörterkasten. Schreib auch eine Titel-Karte *Tiere*.

● **Maskulinum**
Hund, -e
Hase, -n
Papagei, -en
Wellensittich, -e

● **Neutrum**
Meerschweinchen, -

● **Femininum**
Katze, -n
Ratte, -n
Maus, ¨e
Schildkröte, -n

3 Ratespiel – Was für ein Tier ist das?

Die Klasse in Gruppen teilen. Ein Schüler kommt an die Tafel.

Karte ziehen   ein Tier an die Tafel zeichnen und fragen   Alle raten.

Welche Gruppe ist schneller? Ein Punkt.

4 Ein Tier für Familie Kern

● Mami, ich möchte so gern einen Hund.
▲ Wie bitte? Einen Hund?
   Alexander, das kommt gar nicht in Frage.
● Warum denn nicht?
▲ Wir können doch keinen Hund halten.
■ Und warum nicht?
▲ Ach, Anne. Ein Hund macht zu viel Arbeit.
● Wir können doch mal einen Hund auf Probe nehmen.
✳ Ein Probetier? Wie geht das denn?
● Ich habe da so eine Idee.

Mach auch Gespräche über andere Wunschtiere.

Wer macht denn das
Katzenklo sauber?

Wer füttert ...?

Wer macht denn
den Käfig sauber?

Und in den Ferien?
Wohin kommt ... dann?

5 Grüße aus dem Tierheim

L15/4

a) Schau die Bilder an und hör zu. Worum geht es?

b) Hör noch einmal zu. In welcher Reihenfolge stellt die Moderatorin die Tiere vor? Die Farben unten helfen dir.

1	2	3
?	?	?

c) Lies die Aussagen. Was für ein Tier möchte Alexander? Und Jenny?

Oh, ist das süß! Schwarz-weiß- braun mag ich am liebsten. Das hole ich mir. Und das darf bestimmt bleiben.

Der ist es! Braun-schwarz und nicht so groß. Ich gehe nachher gleich ins Tierheim. Den geben wir nicht zurück!

rot   blau   grün   gelb   braun   grau   rosa   lila   weiß   schwarz bunt

L15/5

d) Hör zu, zeig die Farben mit und sprich nach.

e) Stell deinem Partner Fragen.
Wie heißt der Hund A? Wie alt ist ...? Was für eine Farbe hat ...?

f) Was für ein Tier ist dein Wunschtier?
Sprich so: Mein Wunschtier ist ein/eine ... Er/Es/Sie ist ...

6 Was weißt du noch?

Schau die Tiere in Übung 1 eine Minute lang an.
Dann mach das Buch zu.
Dein Partner fragt. Du antwortest.
Richtig? Du bist dran.
Ihr könnt das auch als Gruppenspiel spielen.

Was für eine Farbe hat der Papagei?
Er ist blau und gelb.
Richtig. Du bist dran.

2 Wegen Allergie 2 Katzen, rot-weiß und grau, 10 Mon. abzugeben. Tel. 507820

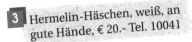

3 Hermelin-Häschen, weiß, an gute Hände, € 20.- Tel. 10041

7 Anzeigen in der Zeitung

4 8 Mäuschen, weiß, nur zus. zu verschenken Tel. 763518

5 Wasserschildkröte mit Aquarium € 35.- E-Mail: zwaag@reb.de

1 Kätzchen, weiß, 8 Wo. nur an Fam. mit Garten. Tel. 208563 E-Mail: ceverin@online.de

7 Landschildkröte € 15.- Tel. 2435568

6 Graupapagei, 3 J. Papiere, Tel. 817534

8 Papagei, gelb-blau, 4 J. Käf., Tel. 442412

a) **Was bedeuten die Abkürzungen:** Wo. – Mon. – J. – Fam. – zus. – Tel. – Käf.?

Familie, zusammen, Telefon, Käfig, Jahr/Jahre, Monat/Monate, Wochen

b) **Lies die Anzeigen ohne Abkürzungen. Beispiel:** Kätzchen, weiß, acht Wochen, ...

der Hase			das Häschen	Nomen + chen = (klein) immer Neutrum
die Maus			das Mäuschen	

c) **Stell Fragen zu den Anzeigen.**

Was für eine Farbe hat das Häschen von Nummer ...?

Wie alt ist ...?

8 Ein Probetier?

L15/6

a) **Hör Szene 1, 2 und 3. Wer spricht?**

b) **Lies noch einmal die Anzeigen. Welche Anzeigen haben die Personen gelesen?**

c) **Was für ein Tier wohnt in der Maistraße 8? Und am Marktplatz 12?**

9 Lauter Laute

a) **Hör zu und sprich nach.**

L15/7

b) **Die Pünktchen sind wichtig! Hör zu und lies mit.**

ein Apfel → drei Äpfel   ein Block → drei Blöcke
ein Bruder → drei Brüder   eine Maus → drei Mäuse

L15/8

c) **Lies laut. Dann hör zu. Richtig? Wiederhole.**

Katze – Kätzchen – Brot – Brötchen – Malkasten – Malkästen – Buch – Bücher – Rock – Röcke – ihr fahrt – er fährt – Maus – Mäuschen – du musst – ihr müsst – Maus – Mäuse – Haus – Häuser – Wurst – Würstchen

L15/9

Lektion 16

Unser Zoo

1 Na so was!

▲ Hallo, Anne.

● Hallo, Alex!

▲● Du, ich muss dir was sagen.

▲ Erst du.

● Also gut. – Ich bin gerade nach Hause gekommen.

▲ Ja und?

● Na ja, ich habe gestern eine Anzeige gelesen. Heute habe ich telefoniert und dann bin ich in die Stadt gefahren.

▲ Mach's doch nicht so spannend!

● Ich habe ein Kätzchen geholt.

▲ Wie bitte?

● Ist es nicht süß?

▲ Doch schon, aber ...

● Ich habe es geschenkt bekommen.

▲ Ja schon, aber zwei Tiere!

● Zwei Tiere? Das verstehe ich nicht.

▲ Weißt du, ich bin auch gerade erst nach Hause gekommen.

● Aha?

▲ Ich bin nämlich heute Nachmittag ins Tierheim gegangen.

● Ja und?

▲ Ich habe einen Hund mitgebracht.

● Was?

▲ Ist er nicht lieb?

● Doch schon, aber zwei Tiere!

▲ Sag mal, wo ist eigentlich Jenny?

● Ich glaube, Jenny ist gerade nach Hause gekommen.

▲ Ach, da ist sie ja! Hallo, Jenny.

✳ Hallo.

● Na, was ist denn los?

✳ Na ja, ich bin heute Nachmittag ✳✳✳ .

▲ ✳✳✳ ?

✳ Ich habe ein Meerschweinchen ✳✳✳ .

● ✳✳✳ ?

✳ ✳✳✳ ?

▲ ✳✳✳, aber was sagen Papa und Mama dazu?

✳ Warum?

● Jetzt haben wir ✳✳✳ .

✳ Au weia!

a) Hör den ersten und zweiten Teil, lies mit und sprich nach.

b) Ergänze den dritten Teil. Der zweite Teil hilft dir. Hör den Text zur Kontrolle.

Zu schwer? Dann hör zuerst den Text und ergänze dann den dritten Teil.

Perfekt = **haben** **sein** + Partizip

haben	sein
alle Verben	*außer* *Verben der Bewegung*
Ich habe gelesen.	fahren: Ich bin in die Stadt gefahren.
Du hast telefoniert.	kommen: Sie ist nach Hause gekommen.
Wir haben ein Tier geholt.	gehen: Sie ist ins Tierheim gegangen.
Ich habe den Hund mitgebracht.	...

Partizip

ge- ( ) -t	ge- ( ) -en	ge- ( ) -en/t + Vokalwechsel
holen - **ge**holt	fahren - **ge**fahr**en**	schwimmen - geschw**omm**en
spielen - **ge**spiel**t**	kommen - **ge**komm**en**	finden - gef**und**en
machen - **ge**mach**t**	lesen - **ge**les**en**	sprechen - gespr**och**en
hören - **ge**hör**t**	schlafen - **ge**schlaf**en**	trinken - getr**unk**en
arbeiten - **ge**arbeite**t**	geben - **ge**geb**en**	kennen - gek**ann**t
haben - **ge**hab**t**	...	schreiben - geschr**ieb**en
sagen - **ge**sag**t**	⚠ essen - **ge**gess**en**	...
...		

Verben auf -ieren	Verben mit Vorsilbe	trennbare Verben
telefonieren - telefon**iert**	bekommen - **be**komm**en**	mitbringen - **mit**gebracht
fotografieren - fotograf**iert**	vergessen - **ver**gess**en**	zumachen - **zu**gemacht
	...	einkaufen - **ein**gekauft
	verkaufen - **ver**kauf**t**	...
	verwechseln - **ver**wechsel**t**	hingehen - **hin**gegangen
	...	aufstehen - **auf**gestanden
		fernsehen - **fern**gesehen
		...

unregelmäßige Verben

sein - gewesen; gehen - gegangen; stehen - gestanden;
nehmen - genommen

Tipp!
Wenn die Vorsilbe betont ist, brauchst du die Vorsilbe und das Partizip mit -ge.

2 Lauter Laute

a) Hör zu, sprich nach und klatsch mit.

b) Lies laut. Dann hör zu. Richtig? Wiederhole.

verwechseln –	Das habe ich verwechselt.	vergessen –	Hast du das vergessen?
aufräumen –	Er hat aufgeräumt.	telefonieren –	Hast du schon telefoniert?
kaufen –	Wir haben nichts gekauft.	einkaufen –	Wir haben nichts eingekauft.

c) **Was für ein Satz ist das?** Du hörst die Sätze von Aufgabe b nur geklatscht.
Jede Silbe = klatschen; **betonte Silbe = laut klatschen**
Beispiel: — — — — — **—** —   → <u>Das</u> <u>ha</u> <u>be</u> <u>ich</u> <u>ver</u> <u>wech</u> <u>selt</u>.

Lektion 16

> Ich laufe. — Er malt.
> Ich bin gelaufen. Er hat gemalt.

3 Spiel: schwarzer Peter

a) **Schreibt Karten. Mindestens 12 Paare.**
Und dazu die Karte „schwarzer Peter".

b) **Spielt in Gruppen.**
Karte vom Partner rechts ziehen.
Wer hat ein Paar? Ablegen und vorlesen.
Wer hat am Schluss den „schwarzen Peter"?

4 Satzkette: Was hast du heute gemacht?

Spieler 1:	Spieler 2:	Spieler 3:
Ich bin aufgestanden.	Ich bin aufgestanden. Dann bin ich ins Bad gegangen.	Ich bin aufgestanden. Dann bin ich ins Bad gegangen. Dann habe ich Milch ...

5 Die Eltern kommen

R Mama kommt herein. „Hallo, Mama!", sagen die drei. „Hallo", sagt Mama. „Wo wart ihr denn den ganzen Nachmittag?" „Wir? Ääh, wir waren, ääh ...", stottert Anne. Jenny sagt: „Also, ich war ..." „Pssst!", sagt Alex leise. „Na, egal", sagt Mama. „Ich habe euch etwas mitgebracht. Ich habe ..."

K „Und ich habe eine Schildkröte mitgebracht", sagt Mama. „Hier ist sie." „Au weia!", sagen Alex, Anne und Jenny. „Findet ihr sie nicht nett?", fragt Mama. „Doch schon, aber fünf Tiere!", sagt Anne.

E „O je, Mama kommt", flüstert Anne. „Was machen wir denn jetzt?" „Los, die Tiere weg!", sagt Alex. „Mama darf sie nicht gleich sehen."

I Da kommt Papa. „Hallo, Papa!", ruft Alex. „Wo warst du denn?" „Das sage ich nicht." Papa lächelt. „Ich habe euch etwas mitgebracht." „Guten Tag! Karo, Karo! Guten Tag." „Was war das denn?", fragt Mama. „Einen Moment", sagt Papa und holt den Käfig. „Das ist Karo." „Das ist ja ein Papagei!", ruft Mama. „Richtig", sagt Papa. „Die Kinder möchten doch so gern ein Haustier. Also habe ich einen Papagei gekauft."

A „Wie bitte?", fragt Mama. „Na ja", sagt Anne. „Ich habe ein Kätzchen geschenkt bekommen. Hier, das ist Misch." „Und ich habe einen Hund geholt", sagt Alex. „Rudi heißt er." Und Jenny sagt: „Ich habe jetzt ein Meerschweinchen. Es heißt Tipsi." „Was?", ruft Mama. Und Papa meint: „Ich glaube, wir haben jetzt einen Zoo."

einhundertacht

a) **Schau die Bilder an. Ordne die Textteile.**
   Wie heißt die Schildkröte?

Lösung:

1	2	3	4	5
E	?	?	?	?

b) **Schreibt in Gruppen ein Drehbuch.**
   Anne: O je, Mama kommt. Was machen wir denn jetzt?
   Alex: Los, die Tiere ...

c) **Hört die Szene zur Kontrolle.**

d) **Spielt die Szene.**

ich	war	wir	waren
du	warst	ihr	wart
er/es/sie	war	sie/Sie	waren

L16/6

6 Tierchaos

a) **Hör zu und schau das Bild an.**

L16/7

b) **Mach die Sätze fertig.**

Tipsi, wo ✳✳✳ du denn?

Karo ✳✳✳ so lustig!

Tipsi ✳✳✳ so klein und süß.

Die Tiere ✳✳✳ so allein.

Ich ✳✳✳ sicher, das ist meine Katze.

c) **Hör noch einmal zu.**
   Wer sagt die Sätze von Aufgabe b?

7 Regeln der Haustierhaltung

So hält man einen Hund richtig:

- Man muss einen Hund zweimal am Tag füttern.
- Man muss regelmäßig Wasser geben.
- Man muss den Käfig regelmäßig sauber machen.
- Man muss den Hund zweimal am Tag ausführen.
- Man muss den Hund regelmäßig bürsten.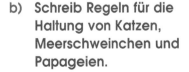
- Man muss das Katzenklo regelmäßig sauber machen.

man = keine bestimmte Person
Man muss einen Papagei zweimal am Tag füttern.
Man muss den Käfig regelmäßig sauber machen.

a) **Welche Regeln passen zur Hundehaltung?**
   Schreib sie auf.

b) **Schreib Regeln für die Haltung von Katzen, Meerschweinchen und Papageien.**

c) **Schreib eine Unsinn-Regel. Wer macht den schönsten Quatsch?**

8 Tiere machen Arbeit

● Alex, hast du Rudi schon gefüttert? Du weißt doch ...

▲ Ja, ich weiß. Man muss einen Hund zweimal am Tag füttern.
Natürlich habe ich ihn schon gefüttert.

✳ Dann ist es ja gut.

a) **Und auch so:** mit Rudi laufen; Rudi ausführen

b) **Macht auch Dialoge mit:** Anne und Katze, Jenny und Meerschweinchen

9 Reisen – Wohin in den Ferien?

a) **Hör zu. Worum geht es in der Geschichte?**

b) **Hör noch einmal zu. Nun lies die Sätze.**
Was ist richtig? Was ist falsch? Rechenrätsel

1 Familie Kern fährt in den Ferien immer nach Italien.
2 Alex möchte den Hund nach Spanien mitnehmen.
3 Sie möchten Karo zu Lea bringen.
4 Leas Familie fliegt dieses Jahr in den Ferien nach Spanien.
5 Jenny möchte nicht mit nach Italien fahren.

richtig = 10; falsch = 3

1	-2	-3	- 4	+5
?	-?	-?	-?	+?	= 11

> 🔊 **Strategie**
> Du musst in einem Hörtext nicht alles verstehen. Versuche zuerst herauszufinden, worum es in dem Text geht.

c) **Wohin möchtest du in den Ferien fahren?**

10 Unsere Tiere

✳ Alexander, wir haben etwas beschlossen.
▲ Du darfst Rudi behalten.
✳ Rudi ist also nicht mehr dein Hund.
Von jetzt an ist er unser Hund.
☐ Wirklich?
● Du, Alex, dein Hund hat gerade ...
✳ Nicht dein Hund, unser Hund!
● Also gut. Unser Hund hat gerade die Würstchen gefressen.
▲ Was? Unsere Würstchen?!

Mach weitere Gespräche. Denk an die anderen Namen.

mein/unser Meerschweinchen   - ... hat den/unseren Atlas kaputt gemacht

meine/unsere Katze   - ... hat das/unser Sofa kaputt gemacht

mein/unser Papagei   - ... hat das/unser Telefon kaputt gemacht

11 Telefongespräch mit Tante Vera

L16/11

● Vera Klausen.

▲ Hallo, Tante Vera. Hier ist Alex.

● Hallo, Alex. Na, was macht dein Hund?

▲ Mein Hund? Du meinst wohl **unser** Hund!

● Wie? Euer Hund?

▲ Na ja, Papas Hund, Mamas Hund, ...

● Darfst du denn **euren** Hund behalten?

▲ Das war doch klar. Alle mögen ihn.

● Das finde ich super.

Und auch mit den anderen Personen und Tieren.

Nominativ			Akkusativ		
Das ist	unser/euer	Hund.	Alle mögen	unseren/euren	Hund.
Das ist	unser/euer	Meerschweinchen.	Alle mögen	unser/euer	Meerschweinchen.
Das ist	unsere/eure	Katze.	Alle mögen	unsere/eure	Katze.
Das sind	unsere/eure	Tiere.	Alle mögen	unsere/eure	Tiere.

12 Brief

a) **Setz** *unser/euer* **in der richtigen Form ein.**

Leipzig, 15. Juli 20..

Hallo Alex, Anna und Jenny,

was machen ✳✳✳ Tiere? Haben sie schon Namen? Wie heißt denn ✳✳✳ Katze? Und ✳✳✳ Schildkröte? Wie alt ist ✳✳✳ Hund? Und die anderen Tiere? Wie sieht ✳✳✳ Meerschweinchen aus? Ist ✳✳✳ Papagei hübsch? Er kann doch sprechen. Was sagt er denn alles? Ich möchte ✳✳✳ Papagei so gern einmal sprechen hören. Das ist sicher lustig. Ich komme bald. Aber ✳✳✳ Hund können wir dann nicht mitbringen. Ihr kennt ja ✳✳✳ Lumpi! Der ist so komisch. ✳✳✳ Lumpi mag keine anderen Tiere, nur ✳✳✳ Katze. O je, und dann fünf andere Tiere! Nein, das geht nicht!

Liebe Grüße, auch von Onkel Karl,

✳✳✳ Tante Vera

b) **Schreib eine Antwort an Tante Vera.**

Das kann ich schon:

Sätze und Wörter:

- Reisepläne machen: Wohin fahren wir in den Ferien? Nach Italien. / Zu Oma.
- Tiere beschreiben: ... ist groß/braun/... – ... kann gut / macht gern ... – Was für eine Farbe hat ...?
- etwas über Haustiere: Hund, Papagei, Hase, Wellensittich, Meerschweinchen, Katze, Ratte, Maus, Schildkröte
  füttern, bürsten, ausführen, den Käfig sauber machen
- Farben: rot, blau, grün, gelb, braun, grau, rosa, lila, schwarz, weiß, bunt
- Adresse: (in der) Maistraße 8, (am) Marktplatz 12

GRAMMATIK

1. Verb

a)

Perfekt =	haben	+ Partizip
	sein	

bei allen Verben: **haben + Partizip**	außer: bei Verben der Bewegung: **sein + Partizip**
Ich habe gemalt.	Wir sind nach Italien gefahren.
Ich habe einen Hund mitgebracht.	Ebenso: gehen, kommen, schwimmen, reiten, laufen ...

So geht das Partizip:

regelmäßig:	**ge + Stamm + t**		**ge + Stamm + en**	
holen →	ge + hol	+ t	kommen → ge + komm + en	
auf -ieren:	**Stamm**	**+ t**	**mit Vorsilbe:**	**Vorsilbe + Stamm + Endung**
telefonieren → telefonier		+ t	verkaufen →	ver + kauf + t
mit Vokalwechsel:			**trennbare Verben: Vorsilbe + Partizip**	
schwimmen →	**geschwommen**		mitbringen →	mit + **ge**bracht
finden →	**gefunden**		hingehen →	hin + **ge**gangen
unregelmäßig:				
gehen → **ge**gang**en** stehen → **ge**stand**en** nehmen → **ge**nomm**en**				

b) Präteritum von _sein_

ich	war	wir	waren
du	warst	ihr	wart
er/es/sie	war	sie/Sie	waren

Wo wart ihr denn?
Ich war zu Hause.

2. Possessivartikel

Nominativ:				**Akkusativ:**			
	Maskulinum	**Neutrum**	**Femininum**		**Maskulinum**	**Neutrum**	**Femininum**
Das ist	unser/ euer Hund.	unser/ euer Tier.	unsere/ eure Katze.	Alle mögen	unseren/ euren Hund.	unser/ euer Tier.	unsere/ eure Katze.
Plural: Das sind unsere/eure Tiere.				Alle mögen unsere/eure Tiere.			

3. Das unbestimmte _man_

Man muss die Katze regelmäßig füttern.
Man muss den Hund zweimal am Tag ausführen.

4. Verkleinerung

die Katze → das Kätzchen
der Hund → das Hündchen

immer Neutrum

1 Lesen

Witze

1
Frau Meier sieht einen Herrn und einen Pinguin. Die zwei gehen spazieren. „Das Tier muss aber in den Zoo!", sagt Frau Meier. „Da waren wir ja gestern schon", sagt der Mann. „Heute gehen wir ins Kino."

3
Petras Wellensittich ist weggeflogen. „Eigentlich war es ja klar", sagt Petra traurig. „Jedes Mal, wenn ich für Erdkunde gelernt habe, hat er ganz interessiert in den Atlas geschaut."

5
Klein-Timmy hat ein Schwesterchen bekommen. Heute darf er das Baby zum ersten Mal sehen. Er schaut es eine Weile an, dann sagt er: „Eigentlich möchte ich lieber einen Hund."

2
Im Kino sitzt ein Herr mit seinem Hund. Der Hund schaut den Film an und lacht und lacht. „Der Hund ist aber komisch", sagt ein anderer Mann. „Ja, das finde ich auch", sagt der Herr. „Das Buch hat er nämlich gar nicht gut gefunden."

4
Lena ist traurig. „Meine Schildkröte Elfriede ist weggelaufen!", jammert sie. „Probier's doch mal mit einer Anzeige in der Zeitung", sagt Tom. „Das geht nicht", meint Lena. „Elfriede kann gar nicht lesen."

6
Evi erzählt zu Hause: „Du, Mami, unsere Lehrerin weiß nicht mal, wie eine Katze aussieht." „Das glaube ich nicht", sagt die Mutter. „Doch", antwortet Evi. „Gestern habe ich eine Katze gemalt und die Lehrerin hat gefragt, was das ist."

a) Lies die Witze und schau die Bilder an. Ordne zu.

Lösung:

1	2	3	4	5	6
?	?	?	?	?	?

ist gut!

b) Erzähl den Witz Nummer 1 mit anderen Tieren und anderen Orten.
Beispiel: Elefant – ins Schwimmbad

2 Landeskunde

2.1 Haustiere in Deutschland

Tierische Gesellschaft

In deutschen Haushalten gibt es

Katzen	6,9 Mio.
Kleintiere	5,7
Vögel	4,9
Hunde	4,7
Aquarien (Fische)	3,0

© Globus *Fertignahrung   Stand 2001   Quelle: IVH

Schau die Statistik an.

a) **Wie viele Haustiere gibt es in Deutschland? In Deutschland gibt es 6,9 Mio. Katzen.**

Du liest: 6,9 Mio.

Du sagst: sechs Komma neun Millionen
oder: sechs Millionen neunhunderttausend

Wie viele Hunde/Kleintiere/Vögel/Fische gibt es? Was für Tiere mögen die Deutschen am liebsten?

b) **Was für Haustiere gibt es bei euch? Macht eine Umfrage in der Klasse und in der Schule.**

2.2 Hausarbeit in der Schule

a) **Lies die Texte und ordne sie den Bildern zu.**

1 Viele Schüler lernen in der siebten, achten, neunten oder zehnten Klasse Kochen. Vor allem Jungen machen das gern.

2 Wenn das Essen fertig ist, decken die Schüler den Tisch: Tischtuch, Geschirr, Servietten. Alles muss schön aussehen.

3 Dann essen alle zusammen.

4 Nachher müssen alle das Geschirr spülen und die Schulküche sauber machen.

Wie heißt das Fach? Textilarbeit, Ethik, Hauswirtschaft oder Informatik?

b) **Wie ist das bei euch? Habt ihr auch ...? In welcher Klasse? Und wie viele Stunden?**

3 Gemeinschaftsarbeit – Szenen spielen

Jedes Bild zeigt eine Situation. Sucht euch eine Situation
aus und bereitet in der Gruppe die Szene vor.
Was war vorher?
Was sagen die Leute jetzt?
Was passiert nachher?
Jedes Gruppenmitglied bekommt eine Rolle.

Das könnt ihr sagen:

Tut mir leid, aber ...	Wir ... Kommst du mit? – Ich kann nicht. Ich muss ...	Ich möchte ... Haben Sie ...?	Wohin bringen wir ...?

Spielt die Szenen vor.
Habt ihr eine Videokamera in der Schule? Dann könnt ihr auch einen Film drehen.

4 Lernen

So kannst du sprechen lernen:

- Du brauchst eine Situation. So kannst du dir die Sätze und
  Wörter besser merken.

- Du lernst den Text zusammen mit anderen auswendig.
  - Text hören und nachsprechen
  - einen Satz im Buch still lesen, Buch zu, auswendig sagen

- Ihr sprecht/spielt die gleiche Situation mit anderen Wörtern,
  zum Beispiel *Mantel* → ...

- Ihr sucht gemeinsam andere Situationen, wo man
  das Gleiche sagen kann. Spielt diese Situationen.

- Was kannst du noch sagen? Sucht im Sprachheft.

- Sprecht die bekannten Situationen mit anderen Sätzen.

⚠ „Fehler machen" macht nichts. Wenn du nicht weiterweißt,
sag einfach: „Das verstehe ich nicht" oder „Wie bitte?"

5 Wiederholung

5.1 Lied

a) Hör zu und lies mit.

L16/12

1. Mein Hund ist superintelligent!
   Was der alles kann! Was der alles kennt!
   Zum Beispiel: Heute ist die Familie dran.
   Seht mal, was er alles kann.
   Ich gehe zu Opa, Oma, Onkel Albert und ...
   Zu Tante Helga geht mein Hund.

2. Mein Hund ist super ...
   Zum Beispiel: Nachmittags ist Schule dran.
   Seht mal, ...
   Ich gehe in Kunst, Sport und Musik und ...
   In Informatik geht mein Hund.

3. Dann ist „Freunde treffen" dran.
   Ich sage „Hallo!", „Guten Tag", „Na, wie geht es dir?" und ...
   „Auf Wiedersehen", sagt mein Hund.

b) Schreib weitere Strophen:

4. Heute bin ich mit Hausarbeit dran. Ich koche, ...
5. Dann sind die Hausaufgaben dran. Ich mache ...
   Ich lerne, ...
6. Heute sind meine Hobbys dran. Ich spiele ...
7. Heute ist Wäsche waschen dran. Ich wasche meine Hose, ...
8. Heute ist Einkaufen dran. ...

c) Singt alle Strophen, wenn ihr mögt, auch die letzte.

Mein Hund ist ...
Schließlich ist Freitag, der 13. dann.
Ich habe alles vergessen, was man vergessen kann.
Ich habe die Tasche vergessen, den Zeichenblock, die Sportsachen, und ...
Alles, alles bringt mein Hund.

5.2 Tier-Comics

Darf ich mitspielen?

Na gut.

Mach Tier-Comics. Das können die Tiere sagen:
Ich bin sehr stark. – Ich kann schnell laufen. –
Wir gehen in die Disco. Kommst du mit? –
Ich trage gern Hüte. – Mein Lieblingshobby ist
Kochen. – Hast du meinen Malkasten gesehen?
– Du musst aufstehen. – ...

So ein Quatsch! – Ich weiß (nicht). – Na gut. –
Mal sehen! – Wirklich? – Tut mir leid. – Bist du
verrückt? – Gute Idee. – Einen Moment. – ...

Wortliste

Die chronologische Wortliste enthält die Wörter dieses Buches mit Angabe der Seiten, an denen sie zum ersten Mal vorkommen.
Nomen mit der Angabe (Sg.) verwendet man nur oder meist im Singular.
Nomen mit der Angabe (Pl.) verwendet man nur oder meist im Plural.
passiver Wortschatz = kursiv gedruckt

Themenkreis 1
Lektion 1: Rockkonzert
Seite 6
kommen
Antenne
präsentieren
Pop-Star, der, -s
mit
Band, die, -s
Leadgitarre, die, -n
Keyboard, das, -s
Bass, der, ̈e
neu
Programm, das, -e
und
aktuell
Hit, der, -s
mal
Nummer, die, -n
in
Hitparade, die, -n
Charts, die (Pl.)
Italien
Zusatzkonzert, das, -e
Vorprogramm, das, -e
Gruppe, die, -n
bekannt aus ...
Radio, das, -s
Oktober, der
Olympia-Halle, die

Seite 7
Eingang, der, ̈e
Hallo!
heißen
ich
Wie?
du
und
Wer?
sein

Seite 8
Laut, der, -e
gut
wiederholen
Morgen, der, -
Tag, der, -e
Abend, der, -e
sich etwas vorstellen

Seite 9
mein/meine
dein/deine
Karte, die, -n
Zahl, die, -en
Platz, der, ̈e
Reihe, die, -n
eins
zwei
drei
vier
fünf
sechs
sieben
acht
neun
zehn
elf
zwölf
dreizehn
vierzehn
fünfzehn
sechzehn
siebzehn
achtzehn
neunzehn
zwanzig
zeigen
Welcher/e?
richtig
viel

Seite 10
Nummer, die, -n
schnell
Zahlen-Memory, das, -s
dürfen
noch mal
dran sein

Seite 11
Konzert, das, -e
anfangen
Strategie, die, -n
Rätsel, das, -
DJ (Discjockey), der, -s
Sänger, der, -
was
verstehen
Popmusiker, der, -
Name, der, -n

mögen
sein/seine
Künstlername, der, -n
haben
man
international
kein/keine
Chance, die, -n
sagen
Interview, das, -s
Spitzname, der, -n
stammen
Comic-Figur, die, -n
König, der, -e
Ausbrecher, der, -
Spanien
Lateinamerika
Idiot, der, -en

Lektion 2: Am Kiosk
Seite 12
Kiosk, der, -e
Pause, die, -n
antworten
finden
super
toll
doof
blöd
also
was
möcht-
Saft, der, ̈e
nein
Cola, die, -s
oder
Limo, die, -s
zweimal
Milch, die (Sg.)
bitte
hier
danke
trinken
gern
ja

Seite 13
Limonade, die, -n
Wasser, das (Sg.)
Kaffee, der, -s
Tee, der, -s

Wortliste

Frage, die, -n
wissen
jetzt
wirklich
Milchkaffee, der, -s
Traube, die, -n
Traubensaft, der, ⸚e
Eis, das (Sg.)
Eiskaffee, der, -s
Banane, die, -n

Seite 14
nach
Jahr, das, -e
alt
machen
Sport, der (Sg.)
spielen
Tennis (Spiel)
Volleyball (Spiel)
Eishockey (Spiel)
Gitarre, die, -n
hören
Musik, die
aber
auch
ganz gut

Seite 15
Partner, der, -
sehr
Tipp, der, -s
Wie bitte?
Übung, die, -en
Tschüs.
nur
so
Moment, der, -e
Auf Wiedersehen

Seite 16
raten
sagen
Name, der, -n
glauben
Glück, das (Sg.)
Ort, der, -e
ehrlich
lieben
fortgehen
wieder

Lektion 3: Familien-Quiz
Seite 18
Quiz, das, -
mitmachen
wir

suchen
Familie, die, -n
Person, die, -en
zusammen
es gibt
gewinnen
Adresse, die, -n
Moderator, der, -en
da

Seite 19
Bruder, der, ⸚
Schwester, die, -n
Geschwister, die (Pl.)
Vater, der, ⸚
Papi, der, -s
Mutter, die, ⸚
Mami, die, -s
Eltern, die (Pl.)
Oma, die, -s
Opa, der, -s
Großeltern, die (Pl.)
Tante, die, -n
Onkel, der, -
Cousin, der, -s
Kusine, die, -n
Fehler, der, -

Seite 20
Wörterkasten, der, ⸚
Sprache, die, -n
doch
neununddreißig
sie
zweiundvierzig
er
einundfünfzig
erst

Seite 21
einundzwanzig
zweiundzwanzig
dreiundzwanzig
vierundzwanzig
fünfundzwanzig
sechsundzwanzig
siebenundzwanzig
achtundzwanzig
neunundzwanzig
dreißig
einunddreißig
zweiunddreißig
dreiunddreißig
vierzig
fünfzig
sechzig
siebzig

achtzig
neunzig
hundert
einhundert
zweihundert
tausend
eintausend
rechnen
Spiel, das, -e
mehr
wenig /weniger

Seite 22
Telefon, das, -e
da
nicht
Entschuldigung!
ach
nichts
mein/meine
passen
dein/deine
dann
anderer/e

Seite 23
zusammen
recht haben

Lektion 4: Wir kommen ins Fernsehen
Seite 24
kennen
Fernsehen, das (Sg.)
klar
bei
zu (alt)
Nacht, die, ⸚e
Frau, die, -en
Wiedersehen, das (Sg.)

Seite 25
langweilig
lesen
telefonieren
arbeiten
lernen
schreiben
zeichnen
rechnen
malen
Hausaufgabe, die, -n

Seite 26
Foto, das, -s
Freundin, die, -nen
eigentlich

Wortliste

sportlich
deshalb
manchmal
Fitnesstraining, das (Sg.)
gehen
Schule, die, -n
nett
schon
immer
Rock 'n' Roll, der
Computer-Firma, die, -Firmen
Computer, der, -
zu Hause
Haus, das, ⸚er
Computerspiel, das, -e

Seite 27
Kandidat, der, -en
Woher?
kommen
Wo?
wohnen
aus
Schweiz, die
Deutschland
Österreich
in
schauen
genau

Zum Schluss
Seite 29
Rockmusik, die (Sg.)
mitkommen
meinen
seit
beste (der/das/die)
Fan, der, -s
aussehen
wenn
wann
September, der (Sg.)
spät
hingehen

Seite 30
Grüß Gott.
Grüezi.
Servus.
Tschau.

Seite 31
Gemeinschaftsarbeit, die, -en
Klassenplakat, das, -e
Wiederholung, die, -en
Kartenspiel, das, -e
rechts

Mail-Partner, der, -
Argentinien
Spanisch
Deutsch
bis
bald
Sprachheft, das, -e

Themenkreis 2
Lektion 5 Die Neue
Seite 33
Rucksack, der, ⸚e
schwer

Seite 34
Alptraum, der, ⸚e
wir
haben
Kunst(erziehung) (Unterrichtsfach
ohne Artikel)
Malkasten, der, ⸚en
Asien
Afrika
Erdkunde (Unterrichtsfach
ohne Artikel)
Mathe
Wie viel?
über
Bravo!
Geschichte (Unterrichtsfach
ohne Artikel)
interessant
Französisch (Unterrichtsfach
ohne Artikel)
Lehrer, der, -
Lehrerin, die, -nen
sympathisch
unsympathisch
freundlich
unfreundlich
komisch

Seite 35
Unterrichtsfach, das, ⸚er
Deutsch (Unterrichtsfach
ohne Artikel)
Englisch (Unterrichtsfach
ohne Artikel)
Latein (Unterrichtsfach
ohne Artikel)
Informatik (Unterrichtsfach
ohne Artikel)
Mathematik (Unterrichtsfach
ohne Artikel)
Physik (Unterrichtsfach
ohne Artikel)

Chemie (Unterrichtsfach
ohne Artikel)
Biologie (Unterrichtsfach
ohne Artikel)
Sozialkunde (Unterrichtsfach
ohne Artikel)
Politik (Unterrichtsfach
ohne Artikel)
Textilarbeit (Unterrichtsfach
ohne Artikel)
Religion (Unterrichtsfach
ohne Artikel)
Ethik (Unterrichtsfach
ohne Artikel)

Seite 36
Stundenplan, der, ⸚e
Montag, der, -e
Dienstag, der, -e
Mittwoch, der, -e
Donnerstag, der, -e
Freitag, der, -e
Samstag, der, -e
frei
Sonntag, der, -e
los sein
heute
Warum?
Stunde, die, -n
erste (der/das/die)
zweite (der/das/die)
dritte (der/das/die)
vierte (der/das/die)
fünfte (der/das/die)
sechste (der/das/die)
schlimm
Lieblingsfach, das, ⸚er
reden

Seite 37
wann
Partnersuchspiel, das, -e
an/am

Seite 38
neu
gleich
Unterricht, der (Sg.)
alle
Schüler, der, -
Mädchen, das, -
fragen
Klasse, die, -n
vorstellen (jemanden)
Freund, der, -e
ihr
Junge, der, -n

Wortliste

warten
Quatsch, der (Sg.)
sich melden
Schülerin, die, -nen
Herr, der, -en
Klassenlehrer, der, -
erstaunt
ganz einfach
buchstabieren
Griechenland
geboren
erklären
flüstern
gerade (= jetzt)
Prozentrechnen, das
leise
zuhören
Aufgabe, die, -n
allein
kontrollieren
nachher
unterrichten

Seite 39
Ahnung, die, -en
ABC, das
komplett

Lektion 6: Der erste Schultag
Seite 40
Erdkundeunterricht, der (Sg.)
Schulsachen, die (Pl.)
Bleistift, der, -e
Füller, der, -
Kuli, der, -s
Spitzer, der, -
Radiergummi, der, -s
Block, der, ⸚e
Taschenrechner, der, -
Malkasten, der, ⸚
Pinsel, der, -
Atlas, der, Atlanten
Ordner, der, -
Heft, das, -e
Buch, das, ⸚er
Lineal, das, -e
Blatt (Papier), das, ⸚er
Mäppchen, das, -
Tasche, die, -n
Schere, die, -n
Tafel, die, -n
Kreide, die, -n
Landkarte, die, -n
Farbstift, der, -e
Filzstift, der, -e
Sportsachen, die (Pl.)
Turnschuh, der, -e

Seite 41
ein/eine …

Seite 42
Wortkette, die, -n
lachen
sprechen

Seite 43
kein/keine …
tun
leid tun
Kunstunterricht, der (Sg.)
Thema, das, Themen

Seite 44
mitkommen
Lust, die (Sg.)
müde
nach Hause
schlafen
mitspielen
essen
E-Mail, die, -s
Klassenarbeit, die, -en
Party, die, -s
Schade!
Antwort, die, -en

Lektion 7: Freitag, der 13.
Seite 46
verschlafen
vor
nach
halb
Viertel
Uhr, die, -en

Seite 47
früh/früher
spät/später
Beispiel, das, -e
spät
beginnen
um
Schluss, der (Sg.)
Minute, die, -n

Seite 48
Pech, das (Sg.)
der
weg
alles
schief
das
die
es

Seite 49
Sache, die, -n

Lektion 8: So ein Pech!
Seite 50
Hotdog, der, -s
Wurstbrot, das, -e
Käsebrot, das, -e
Brötchen, das, -
Brezel, die, -n
Hamburger, der, -
Pizza, die, -s
Schokoriegel, der, -
Joghurt, der
sogar
Obst, das (Sg.)
Apfel, der, ⸚
Birne, die, -n
Orange, die, -n
mögen
geben
lächeln
rot
werden
bisschen
vielleicht
nehmen
fertig
Pausenbrot, das, -e
kaufen
lassen
beißen
reinbeißen
Ketchup, das, -s
rauskommen
passieren

Seite 51
Hunger, der (Sg.)
dürfen
für

Seite 52
schicken
Theater, das, -
Kurs, der, -e
Theaterkurs, der, -e
leider
üben

Seite 53
Aufsatz, der, ⸚e
vergessen
etwas
Notenbuch, das, ⸚er
Schreibblock, der, ⸚e

Wortliste

Diktatheft, das, -e
Quartett, das, -e

Seite 54
Verwechslung, die, -en
herausnehmen
herkommen
verwechseln
ruhig
Schuh, der, -e
Physikheft, das, -e
Deutschlehrer, der, -
Erdkundelehrerin, die, -nen
Vokabel, die, -n
ausmachen
schwarz
Brett, das, -er
Januar, der (Sg.)
April, der (Sg.)
Geburtstag, der, -e
Party, die, -s
Mist!
Februar, der (Sg.)
vorhaben
Basketballturnier, das, -e

Seite 55
wegen
Lehrerkonferenz, die, -n
Unterrichtsschluss, der (Sg.)
sondern
Schi, der, -er
Wandertag, der, -e
wandern
Interessent, der, -en
melden
Schuldisco, die, -s
Turnhalle, die, -n
Beginn, der (Sg.)
Eintritt, der, -e
Sprachferien, die (Pl.)
Ferien, die (Pl.)
England
von
bis
Anmeldung, die, -en
Rektorat, das, -e
Datum, das, Daten
Monat, der, -e
März, der (Sg.)
Mai, der (Sg.)
Juni, der (Sg.)
Juli, der (Sg.)
August, der (Sg.)
September, der (Sg.)
Oktober, der (Sg.)
November, der (Sg.)

Dezember, der (Sg.)
Durchsage, die, -n
falsch
schlecht
Gedicht, das, -e
fernsehen

Zum Schluss
Seite 57
Zeugnis, das, -se
einige
unruhig
Note, die, -n
überlegen
Gedanke, der, -n
sich Gedanken machen
bekommen
trotzdem
Ding, das, -e
natürlich
denken
bald
sicher
bestimmt
ziemlich
besonders
einmal
immerhin
befriedigend
ausreichend
mangelhaft
ungenügend
leicht

Seite 58
Universität, die, -en
Hauptschule, die, -n
Realschule, die, -n
Gymnasium, das, Gymnasien
Grundschule, die, -n
dauern
Abitur, das
besuchen
Grundkurs, der, -e

Seite 59
Klassenzeitschrift, die, -en

Seite 60
Gruppengespräch, das, -e
Griechisch

Themenkreis 3
Lektion 9: Sechs Freunde
Seite 62
unser/unsere
Hobby, das, -s
morgen
Film, der, -e
sich setzen
computern
Spaß, der (Sg.)
laufen
surfen
Judo (Sportart ohne Artikel))
Karate (Sportart ohne Artikel)
Fußball, der, -̈e
Basketball (Spiel)
überall
dabei
Schach, das (Sg.)
treffen
Stadt, die, -̈e
spazieren gehen
shoppen

Seite 63
Freizeit, die (Sg.)
fotografieren
schwimmen
Skateboard, das, -s
fahren
Snowboard, das, -s
Autogrammkarte, die, -n
sammeln
Schlagzeug, das, -e
Schlittschuh, der -e
tanzen
fernsehen
Rad (Fahrrad), das, -̈er
reiten
singen
Schi, der, -er
Jahreszeit, die, -en
Frühling, der, -e
Sommer, der, -
Herbst , der, -e
Winter, der, -

Seite 64
Pantomime, die, -n
raten
Was für ein/eine ...?
lieber, am liebsten
Interviewspiel, das, -e

Seite 65
Lieblingshobby, das, -s
Auge, das, -n

Wortliste

Seite 66
sportlich
unsportlich
dick
schlank
groß
klein
intelligent
hübsch
stark
lange
oft
können
jeder, jedes, jede
Woche, die, -n
einmal
Gitarrenstunde, die, -n

Seite 67
Mitschüler, der, -
Schülerzeitung, die, -en
Leute, die (Pl.)

Lektion 10: Was machen wir denn heute?
Seite 68
Verabredung, die, -en
gehen
auf
Sportplatz, der, ‥e
Zoo, der, -s
mitgehen
Schwimmbad, das, ‥er
Reithalle, die, -n
Tier, das, -e
Zirkus, der, -se
Park, der, -s
Tennisplatz, der, ‥e
Kino, das, -s
Rockkonzert, das, -e
Eiscafé, das, -s
Fast-Food, das, -s
Stadion, das, Stadien
Disco, die, -s
Ballettschule, die, -n
Skaterbahn, die, -en

Seite 69
Wohin?
hingehen
sitzen
abschalten
eben
verrückt
einfach
ausmachen
zumachen

Seite 70
Computer-Messe, die, -n
Zeit, die
Schachmeisterschaft, die, -en

Seite 71
Mist!
hoffentlich
Gruß, der, ‥e
Veranstaltungskalender, der, -
sich umhören
damit
abgehen
Mitternacht, die (Sg.)
Korb, der , ‥e
Event, das, -s
werfen
Tanzshop, der, -s
Jugendkulturwerkstatt, die
Video-Clip, der, -s
Drummer, der, -
Kickbox-Training, das (Sg.)
sich austoben

Seite 72
Idee, die, -n
Sieger, der, -
Überraschungssieger, der, -
Schachturnier, das, -e
alljährlich
Turnier, das, -e
Schachclub, der, -s
stattfinden
Teilnehmerzahl, die, -en
übertreffen
Erwartung, die, -en
teilnehmen
Konkurrenz, die, -en
enden
Überraschung, die, -en
vierzehnjährig
besetzt
Feld, das, -er
sich durchsetzen
gratulieren
Information, die, -en

Lektion 11: Kommst du mit?
Seite 74
Flohmarkt, der, ‥e
Nähe, die (Sg.)
Nachtflohmarkt, der, ‥e
Kinderflohmarkt, der, ‥e
Jugendflohmarkt, ‥e
Pfarrheim, das, -e
Bücherflohmarkt, der, ‥e
Festwiese, die, -n

Seite 75
verkaufen
nie
Comic, der, -s
Musikkassette, die, -n
CD, die, -s
Schallplatte, die, -n

Seite 76
Walkman, der, -s
Gameboy, der, -s
Handy, das, -s
Kamera, die, -s
Kassette, die, -n
brauchen

Lektion 12: Flohmarkt
Seite 78
Reporter, der, -
Mal, das, -e
Euro, der, -s
Sie
kosten

Seite 79
Verwandte, der, -n
Erwachsene, der, -n
Bekannte, der, -n
Fremde, der, -n
nämlich
Kinderbuch, das, ‥er

Seite 80
Tagebuch, das, ‥er
zum Beispiel
herumgehen
Tennisschläger, der, -
Englischlexikon, das, -lexika
eigentlich
Hut, der, ‥e

Seite 81
Mantel, der, ‥
Rock, der, ‥e
Pulli, der, -s
Hemd, das, -en
Kleid, das, -er
T-Shirt, das, -s
Tuch, das, ‥er
Hose, die, -n
Jacke, die, -n
Bluse, die, -n
Mütze, die, -n
Jeans, die (Pl.)
Stiefel, der, -
Handschuh, der, -e
Kleidung, die (Sg.)

anhaben (Kleidung)
tragen (Kleidung)
teuer
Cent, der, -
Ordnung, die, -en

Seite 82
Autogramm, das, -e
sehen
Mann, der, ̈-er
Filmstar, der, -s
los
Wen?

Seite 83
Geschichte (Erzählung), die, -n
Ende, das (Sg.)
Kasse machen
dafür
prima

Zum Schluss
Seite 85
Aktion, die, -en
Kind, das, -er
Nigeria
dorthin
zurückkommen
helfen
weit
Ruhe, die (Sg.)
berühmt
starten
Internet, das (Sg.)
aufrufen
Hilfe, die
Zeitungsartikel, der, -
Geld, das, -er
organisieren
Plakat, das, -e
Bescheid, der, -e
langsam
zuerst
besprechen
Spielsachen, die (Pl.)
Tisch, der, -e
Liste, die, -n
Direktor, der, -en
abschicken
vorschlagen

Seite 86
Jugendliche, der, die -n
angeben
häufig
Prozent, das, -e
Internet, das, -s

Seite 87
Wortschatz, der, ̈-e

Seite 88
Lied, das, -er
ausschlafen
uns
wollen

Themenkreis 4
Seite 89
Taschengeld, das (Sg.)
Linie, die, -n
ausgeben
Angabe, die, -n
Schokolade, die (Sg.)
Zeitschrift, die, -en
Zeitung, die, -en
Getränk, das, -e
Videospiel, das, -e
Kosmetik, die (Sg.)

Lektion 13: Stress
Seite 90
Stress, der (Sg.)
anziehen
wecken
Orangensaft, der, ̈-e
Zahn, der, ̈-e
putzen
weiterschlafen
einpacken
Hand, die, ̈-e
Gesicht, das, -er
waschen
aufwachen

Seite 91
Bad, das, ̈-er
frühstücken
aufstehen
duschen

Seite 92
anfangen

Seite 93
Mensch, der, -en
Hunger, der (Sg.)
Butter, die (Sg.)
Ei, das, -er
Wurst, die, ̈-e
Marmelade, die, -n
Käse, der, -
Honig, der (Sg.)
Kakao, der (Sg.)

Brot, das, -e
Müsli, das (Sg.)
Nuss-Nugat-Creme, die, -s
Frühstück, das, -e
es gibt

Seite 94
Welt, die, -en
Dänemark
morgens
Cornflakes, die (Pl.)
Haferflocken, die (Pl.)
Neuseeland
Zucker, der (Sg.)
Toast, der, -e
ziemlich
Tasse, die, -n
ein paar
Keks, der, -e
Tageszeit, die, -en
Vormittag, der, -e
Mittag, der, -e
Nachmittag, der, -e
Einladung, die, -en
Mittagessen, das, -
Musikunterricht, der (Sg.)
müssen
selbst
pünktlich
streng
Pünktlichkeit, die (Sg.)
wichtig
Leben, das, -

Seite 95
Schreibspiel, das, -e

Lektion 14: Manuel der Hausmann
Seite 96
Müll, der (Sg.)
rausbringen
Geschirr, das (Sg.)
spülen
Hund, der, -e
ausführen
einkaufen
aufräumen
kochen
sauber
Angst, die, ̈-e
Traum, der, ̈-e

Seite 97
Fragewürfel, der, -
basteln
Roboter, der, -
Blume, die, -n

gießen
Spülmaschine, die, -n
Maschine, die, -n
ausräumen
teilweise
Technische Hochschule, die, -n
sollen
perfekt
Haushaltshilfe, die, -n
Kommando, das, -s
ohne
Durst, der (Sg.)
Haushalt, der, -e

Seite 98
Telefongespräch, das, -e
nun
Frosch, der, ⸚e
krank
einladen
Videofilm, der, -e
zurückgeben

Seite 99
gar nichts
Arbeit, die, -en
rumliegen
wenigstens

Seite 100
Tätigkeit, die, -en

Lektion 15: So viele Tiere
Seite 102
Ratte, die, -n
Meerschweinchen, das, -
Katze, die, -n
Klavier, das, -e
Papagei, der, -en
Rollschuh, der, -e
Maus, die , ⸚e
fressen
Hase, der, -n
Schildkröte, die, -n
Wellensittich, der, -e
Ball, der, ⸚e

Seite 103
Haustier, das, -e
halten (ein Tier)
Probe, die, -n
Probetier, das, -e
Katzenklo, das, -s
Käfig, der, -e
füttern

Seite 104
Tierheim, das, -e
süß
holen
bleiben
rot
blau
grün
gelb
braun
grau
rosa
lila
weiß
schwarz
bunt
Farbe, die, -n
Wunschtier, das, -e

Seite 105
Anzeige, die, -n
Zeitung, die, -en
Kätzchen, das, -
Garten, der, ⸚
Allergie, die, -n
abgeben
Häschen, das, -
Mäuschen, das, -
verschenken
Wasserschildkröte, die, -n
Aquarium, das, Aquarien
Papiere, die (Pl.)
Landschildkröte, die, -n
Straße, die, -n
Marktplatz, der, ⸚e

Lektion 16: Unser Zoo
Seite 106
gestern
spannend
schenken
verstehen
mitbringen
lieb
dazu

Seite 108
Satzkette, die, -n
hereinkommen
stottern
egal
euch

Seite 109
Tierchaos, das (Sg.)
lustig
Regel, die, -n

Haustierhaltung, die (Sg.)
man
regelmäßig
bürsten

Seite 110
Reise, die, -n
fliegen
unser/unsere
beschließen
behalten
Würstchen, das, -
kaputt
Sofa, das, -s

Seite 111
euer/eure
Brief, der, -e

Zum Schluss
Seite 113
Witz, der, -e
Pinguin, der, -e
traurig
interessiert
weglaufen
jammern
probieren
Schwesterchen, das, -
Baby, das, -s
Weile, die (Sg.)
erzählen

Seite 114
tierisch
Gesellschaft, die, -en
Kleintier, das, -e
Vogel, der, ⸚
Fisch, der, -e
Hausarbeit, die, -en
Million, die, -en
decken (Tisch)
Tischtuch, das, ⸚er
Serviette, die, -n
schön
Schulküche, die, -n
Hauswirtschaft, die (Sg.)

Seite 115
Szene, die, -n

Seite 116
nachmittags
Wäsche, die (Sg.)

Quellenverzeichnis

Seite   5:   rechts oben: Reinhard Berg ©irisblende.de; Mitte: Karl-Georg Waldinger, Wuppertal; rechts unten: MHV-Archiv (MEV); alle anderen: Susanne Probst, München

Seite   6:   Foto: Karl-Georg Waldinger, Wuppertal

Seite   8:   Fotos oben: dpa

Seite 11:   Foto: Karl-Georg Waldinger, Wuppertal; unten: dpa

Seite 13:   Gedicht mit freundlicher Genehmigung von Hans Manz, Zürich

Seite 18:   Schriften und Studiohintergrund der Fernsehbilder: Werner Bönzli, Reichertshausen

Seite 19:   Fotos Tanten, Onkel rechts, Opas, Oma rechts: MHV-Archiv (Dieter Reichler)

Seite 21:   Fotos oben und Mitte: Anahid Bönzli, Tübingen

Seite 23   Fotos unten: Brigitte Micheler, München

Seite 27:   Studiohintergrund und Montage: Werner Bönzli, Reichertshausen; Foto A: © by Switzerland Tourism By-line (ST/swiss-image.ch); B und D: MHV-Archiv (MEV); C: © Hamburg Tourismus GmbH

Seite 29:   Fotos: Musik + Show (Claus Lange) Hamburg

Seite 33:   oben: MHV-Archiv (Dieter Reichler); unten: MHV-Archiv (Alexander Keller)

Seite 39:   Comic-Figuren aus: Asterix und die Goten, Band 7, Seite 17 © 2004 Les Editions Albert René / Goscinny - Uderzo

Seite 46:   Kalenderblatt, Wecker und Zeitschema: Werner Bönzli, Reichertshausen

Seite 49:   Schulartikel: Werner Bönzli, Reichertshausen

Seite 52:   Handys © Siemens-Pressebild

Seite 58:   Schulsystem: Werner Bönzli, Reichertshausen; Foto 1: © Universität Karlsruhe; 2: © Alexander Knodel, Göppingen; 4: Birgit Tomaszewski, Ismaning

Seite 61:   links oben: © Günter Mattei für den Münchner Tierpark Hellabrunn; Mitte: MHV-Archiv (MEV)

Seite 62:   Filmplakat Titanic: Deutsches Filminstitut, Frankfurt/Main

Seite 67:   oben: MHV-Archiv (Susanne Probst); beide unten: Vera und Johannes Kreuzer, Ergoldsbach

Seite 68:   Ballett: Ingrid Bergmann, Detmold; Zoo: © Günter Mattei für den Münchner Tierpark Hellabrunn; Reiten: Stenger GmbH, Zimmerei-Holzbau, Kraiburg/Inn; Schwimmen: Stadtwerke München GmbH, Fotograf: Felix L. Steck (Michaeli-Sommerbad); Filmplakat: Siegfried Büttner, Goch; Sport: Katharina Gruber, Offenbach

Seite 74:   oben: Monika Bender, München

Seite 76:   Fotoapparat: © Canon Deutschland GmbH 2000-2003; Handy und Gamboy: © Nokia 2400

Seite 86:   Grafik: Globus-Infografik, Hamburg; Fotos oben und rechts unten: MHV-Archiv (MEV)

Seite 89:   Schaubild: Globus-Infografik, Hamburg; Fotos: MHV-Archiv (rechts oben: Alexander Keller, alle anderen: MEV)

Seite 92:   Uhren: Werner Bönzli, Reichertshausen

Seite 97:   ARMAR © by Sonderforschungsbereich 588 "Humanoide Roboter ñ Lernende und kooperierende multimodale Roboter", Universität Karlsruhe (TH); unten: A aus: JUMA 4/2002, Christian Vogeler, HYPERLINK http://www.juma.de; www.juma.de; B: ©AEG Hausgeräte GmbH; C: Werner Bönzli, Reichertshausen; D: © Universität Karlsruhe, Pressestelle

Seite 102:   Fotos A und E: Gabriele Kopp, München; S: Werner Bönzli, Reichertshausen; alle anderen: Juniors Tierbildarchiv, Ruhpolding

Seite 114:   Grafik: Globus-Infografik, Hamburg
              Peter Kallert, Weyarn/Neukirchen: Fotos Seite 8 (unten), 12, 13, 21 (unten), 25 (unten 1,2,3,5), 31, 32, 36, 37, 39, 42, 47, 55, 58 (3), 60, 64, 65 (Sprachheftseiten), 86 (links), 87.
              Susanne Probst, München: Fotos Seite 14, 18, 19 (alle anderen), 20, 22, 23 (oben), 24, 25 (alle anderen), 26, 27, 61 (rechts oben und unten), 62, 69, 70, 72, 74, 76, 78, 79, 80, 81, 82, 83.
              Gabriela Stellino, Freiburg: Zeichnungen Seite 13, 32, 40 (Schulsachen), 63 (Freizeit), 66, 75, 81, 93 (Lebensmittel), 103 (4x unten), 105 (Hasen, Mäuse).

CD 1 Hörtexte und Hörübungen Lektion 1 – 8

Track			Lektion 1	
1	→	L1/1	Übung 2	Hörtext
2	→	L1/5	Übung 5	Hörtext
3	→	L1/6	Übung 6	Hörtext
4	→	L1/9	Übung 12	Hörtext

Track			Lektion 2	
5	→	L2/1	Übung 1 a	Hörtext
6	→	L2/2	Übung 1 b	Hörübung
7	→	L2/4	Übung 3	Hörtext
8	→	L2/8	Übung 6	Hörtext
9	→	L2/9	Übung 7	Hörtext
10	→	L2/10	Übung 8 a	Hörtext
11	→	L2/11	Übung 8 b	Hörübung
12	→	L2/13	Übung 10	Hörübung
13	→	L2/14	Übung 11	Hörtext
14	→	L2/15	Übung 13	Lied
15				Playback

Track			Lektion 3	
16	→	L3/1	Übung 1	Hörtext
17	→	L3/2	Übung 2	Hörtext
18	→	L3/6	Übung 5	Hörtext
19	→	L3/10	Übung 7	Hörübung
20	→	L3/11	Übung 9	Hörtext
21	→	L3/12	Übung 10	Hörtext
22	→	L3/13	Übung 11	Hörtext

Track			Lektion 4	
23	→	L4/1	Übung 1	Hörtext
24	→	L4/2	Übung 1	Hörtexte
25	→	L4/3	Übung 2 a	Hörtext
26	→	L4/4	Übung 2 b	Hörübung
27	→	L4/5	Übung 3	Hörtext

Track			Lektion 4	
28	→	L4/6	Übung 3 a	Hörtexte
29	→	L4/8	Übung 6	Hörtext
30	→	L4/9	Übung 8	Hörtext

Track			Zum Schluss	
31	→	L4/10	Übung 2	Hörtext

Track			Lektion 5	
32	→	L5/1	Übung 1	Hörtext
33	→	L5/6	Übung 4	Hörtext
34	→	L5/7	Übung 6	Hörübung
35	→	L5/10	Übung 9 c	Hörtext
36	→	L5/11	Übung 11 a	Lied
37	→	L5/12	Übung 11 b	Hörübung

Track			Lektion 6	
38	→	L6/1	Übung 1	Hörtext
39	→	L6/3	Übung 4	Hörtext
40	→	L6/4	Übung 6	Hörtext
41	→	L6/7	Übung 8	Hörtext
42	→	L6/8	Übung 10	Hörtext

Track			Lektion 7	
43	→	L7/1	Übung 1	Hörtext
44	→	L7/3	Übung 1 d	Hörübung
45	→	L7/4	Übung 3	Hörtext
46	→	L7/5	Übung 5	Hörtext

Track			Lektion 8	
47	→	L8/2	Übung 1 d	Hörtext
48	→	L8/6	Übung 5	Hörtext
49	→	L8/7	Übung 7	Hörtext
50	→	L8/9	Übung 10	Hörtext

CD 2 Hörtexte und Hörübungen Lektion 9 – 16

Track			Lektion 9	
1	→	L9/1	**Übung 2 a**	Hörtext
2	→	L9/3	**Übung 3**	Hörübung
3	→	L9/10	**Übung 11**	Hörtext

Track			Lektion 10	
4	→	L10/2	**Übung 2**	Hörtext
5	→	L10/3	**Übung 3**	Hörtext
6	→	L10/4	**Übung 4 a**	Hörtext 1
7	→			Hörtext 2
8	→			Hörtext 3
9	→	L10/5	**Übung 5**	Hörtext

Track			Lektion 11	
10	→	L11/1	**Übung 1 b**	Hörtext
11	→	L11/2	**Übung 1 c**	Hörtext
12	→	L11/3	**Übung 2 b**	Hörübung
13	→	L11/4	**Übung 4**	Hörtext
14	→	L11/5	**Übung 4 b**	Hörtext
15	→	L11/6	**Übung 5**	Hörtext

Track			Lektion 12	
16	→	L12/1	**Übung 1**	Hörtext
17	→	L12/2	**Übung 1 c**	Hörübung
18	→	L12/3	**Übung 2**	Hörtext
19	→	L12/4	**Übung 4**	Hörtext
20	→	L12/6	**Übung 5**	Hörtext

Track			Zum Schluss	
21	→	L12/7	**Übung 5.1 a**	Lied
22	→		**Übung 5.1 c**	Lied
23				Playback

Track			Lektion 13	
24	→	L13/1	**Übung 1 a**	Hörtext
25	→	L13/4	**Übung 4 b**	Hörtext
26	→	L13/7	**Übung 8**	Hörtext
27	→	L13/9	**Übung 10 b**	Hörübung

Track			Lektion 14	
28	→	L14/1	**Übung 1 a**	Hörtext
29	→	L14/2	**Übung 1 c**	Hörübung
30	→	L14/6	**Übung 5**	Hörtext
31	→	L14/7	**Übung 6**	Hörtext
32	→	L14/8	**Übung 7**	Hörtext

Track			Lektion 15	
33	→	L15/2	**Übung 2 a**	Hörübung
34	→	L15/3	**Übung 4**	Hörtext
35	→	L15/4	**Übung 5**	Hörtext
36	→	L15/6	**Übung 8**	Hörtext 1
37				Hörtext 2
38				Hörtext 3

Track			Lektion 16	
39	→	L16/1	**Übung 1 a**	Hörtext
40	→	L16/2	**Übung 1 b**	Hörtext
41	→	L16/6	**Übung 5 c**	Hörtext
42	→	L16/7	**Übung 6**	Hörtext
43	→	L16/8	**Übung 8**	Hörtext
44	→	L16/9	**Übung 9**	Hörtext
45	→	L16/10	**Übung 10**	Hörtext
46	→	L16/11	**Übung 11**	Hörtext

Track			Zum Schluss	
47	→	L16/12	**Übung 5.1**	Lied
48				Playback

CD 3 Aussprachübungen Lektion 1 – 16

Track Lektion 1

1 → L1/2 Übung 3 a
2 → L1/3 Übung 3 b
3 → L1/4 Übung 4
4 → L1/7 Übung 7 a
5 → L1/8 Übung 7 b

Track Lektion 2

6 → L2/3 Übung 1 c
7 → L2/5 Übung 3 a
8 → L2/6 Übung 5 a
9 → L2/7 Übung 5 b
10 → L2/12 Übung 8 c

Track Lektion 3

11 → L3/3 Übung 3 a
12 → L3/4 Übung 3 b
13 → L3/5 Übung 3 c
14 → L3/7 Übung 6 a
15 → L3/8 Übung 6 b
16 → L3/9 Übung 6 c
17 → L3/14 Übung 13 a
18 → L3/15 Übung 13 b

Track Lektion 4

19 → L4/7 Übung 4

Track Lektion 5

20 → L5/2 Übung 2 a
21 → L5/3 Übung 3 a
22 → L5/4 Übung 3 b
23 → L5/5 Übung 3 c
24 → L5/8 Übung 8 a
25 → L5/9 Übung 8 b

Track Lektion 6

26 → L6/2 Übung 2 a
27 → L6/5 Übung 7 a
28 → L6/6 Übung 7 b

Track Lektion 7

29 → L7/2 Übung 1 c
30 → L7/6 Übung 7 a
31 → L7/7 Übung 7 b
32 → L7/8 Übung 7 c

Track Lektion 8

33 → L8/1 Übung 1 b
34 → L8/3 Übung 2 a
35 → L8/4 Übung 2 b
36 → L8/5 Übung 2 c
37 → L8/8 Übung 9 b

Track Lektion 9

38 → L9/2 Übung 2 b
39 → L9/4 Übung 5 a
40 → L9/5 Übung 5 b
41 → L9/6 Übung 5 c
42 → L9/7 Übung 5 d
43 → L9/8 Übung 10 a
44 → L9/9 Übung 10 b

Track Lektion 10

45 → L10/1 Übung 1 c

Track Lektion 11

46 → L11/7 Übung 6 a
47 → L11/8 Übung 6 b
48 → L11/9 Übung 6 c

Track Lektion 12

49 → L12/5 Übung 4 a

Track Lektion 13

50 → L13/2 Übung 1 c
51 → L13/3 Übung 2 a
52 → L13/5 Übung 5 a
53 → L13/6 Übung 7
54 → L13/8 Übung 10 a

Track Lektion 14

55 → L14/3 Übung 2 a
56 → L14/4 Übung 2 b
57 → L14/5 Übung 2 c

Track Lektion 15

58 → L15/1 Übung 1 b
59 → L15/5 Übung 5 d
60 → L15/7 Übung 9 a
61 → L15/8 Übung 9 b
62 → L15/9 Übung 9 c

Track Lektion 16

63 → L16/3 Übung 2 a
64 → L16/4 Übung 2 b
65 → L16/5 Übung 2 c